# PORTUGUÊS
# SEM FRONTEIRAS
# 1

## AUTORES

Isabel Coimbra Leite
Filologia Germânica

Olga Mata Coimbra
Línguas e Literaturas Modernas

## COORDENADOR LINGUÍSTICO E PEDAGÓGICO

António Manuel Correia Coimbra
Filologia Germânica

edições técnicas
LISBOA – PORTO – COIMBRA

# Componentes do método

**Nível 1**

 LIVRO DO ALUNO

 LIVRO DO PROFESSOR

 CONJUNTO DE 2 CASSETES

**Nível 2**

 LIVRO DO ALUNO

 LIVRO DO PROFESSOR

 CONJUNTO DE 2 CASSETES

**Nível 3**

 LIVRO DO ALUNO

 LIVRO DO PROFESSOR

CONJUNTO DE 3 CASSETES

(DESCRIÇÃO NA CONTRACAPA DESTE VOLUME)

LIVRARIAS: LISBOA: Avenida Praia da Vitória, 14
Telef. 541418 — Telex 15432 — Fax 577827
PORTO: Rua Damião de Góis, 452
Telef. 497995 — Telex 20636 — Fax 02-4101119
COIMBRA: Avenida Emídio Navarro, 11-2.º
Telef. 22486 — Telex 52612 — Fax 039-27221

ILUSTRAÇÕES: Herlander Egideo Sousa
CAPA: Maria Helena Annes Matos

Copyright © 1989
LIDEL — Edições Técnicas Limitada

Impressão e Acabamento: Tipografia Lousanense, Lda.
Depósito legal n.º 56564/93

ISBN 972-9018-07-3

# Índice

Prefácio . . . . . . . . . . . . . . . . . . . . . . . . . . . . . . . . . . . . . . . . . . . . . . . . 4

Tábua de matérias . . . . . . . . . . . . . . . . . . . . . . . . . . . . . . . . . . . . . . . . 5

Unidade 1    «Como é que se chama?» . . . . . . . . . . . . . . . . . . . . . . . 8

Unidade 2    «Tu é que és o amigo do Miguel, não és?» . . . . . . . . . . . 14

Unidade 3    «O que é aquilo ali, Miguel?» . . . . . . . . . . . . . . . . . . . . . 22

Unidade 4    «Onde está a minha bola encarnada, Miguel?» . . . . . . . . . 30

Unidade 5    «Eu bebo o meu frio, mãe.» . . . . . . . . . . . . . . . . . . . . . . 38

Revisão 1/5 . . . . . . . . . . . . . . . . . . . . . . . . . . . . . . . . . . . . . . . . . . . 46

Unidade 6    «Esqueço-me sempre do nome...» . . . . . . . . . . . . . . . . . 50

Unidade 7    «Sei lá! Não consigo decidir-me...» . . . . . . . . . . . . . . . . . 58

Unidade 8    «... o filme já vai começar.» . . . . . . . . . . . . . . . . . . . . . . 68

Unidade 9    «Vê lá em cima da mesa da cozinha.» . . . . . . . . . . . . . . . 78

Unidade 10   «De avião deve ser difícil.» . . . . . . . . . . . . . . . . . . . . . . . 86

Revisão 6/10 . . . . . . . . . . . . . . . . . . . . . . . . . . . . . . . . . . . . . . . . . . 94

Unidade 11   «Como foi a tua viagem?» . . . . . . . . . . . . . . . . . . . . . . . 98

Unidade 12   «Os meus pais mandaram-me dinheiro.» . . . . . . . . . . . . . 108

Unidade 13   «... andei a fazer arrumações e parti o braço.» . . . . . . . . . 116

Unidade 14   «Então, o que é que o médico te disse?» . . . . . . . . . . . . . 124

Unidade 15   «Acham que se pode tomar banho?» . . . . . . . . . . . . . . . . 132

Revisão 11/15 . . . . . . . . . . . . . . . . . . . . . . . . . . . . . . . . . . . . . . . . . 139

Unidade 16   «Por onde é que vieram?» . . . . . . . . . . . . . . . . . . . . . . . 142

Unidade 17   «Então hoje não houve aulas, hem!» . . . . . . . . . . . . . . . . 150

Unidade 18   «Não me atires areia!» . . . . . . . . . . . . . . . . . . . . . . . . . . 156

Unidade 19   «Onde é que puseste o martelo e as cavilhas?» . . . . . . . . 162

Unidade 20   «Mostrámos-te tudo o que pudemos.» . . . . . . . . . . . . . . . 168

Revisão 16/20 . . . . . . . . . . . . . . . . . . . . . . . . . . . . . . . . . . . . . . . . . 174

Teste . . . . . . . . . . . . . . . . . . . . . . . . . . . . . . . . . . . . . . . . . . . . . . . . 177

Apêndice gramatical . . . . . . . . . . . . . . . . . . . . . . . . . . . . . . . . . . . . 181

Apêndice lexical — Vocabulário . . . . . . . . . . . . . . . . . . . . . . . . . . . . 182

Apêndice lexical — Expressões . . . . . . . . . . . . . . . . . . . . . . . . . . . . 188

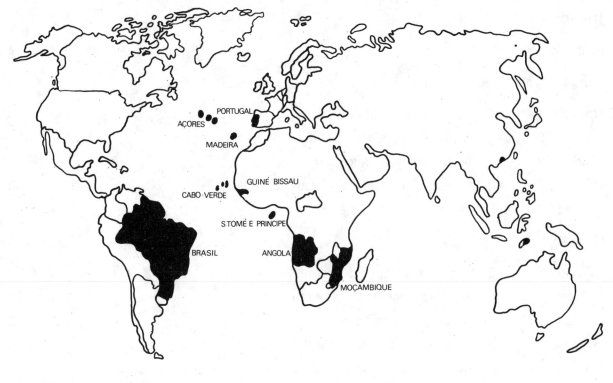

PAÍSES DE LÍNGUA OFICIAL PORTUGUESA

# PREFÁCIO

De há muito que se faz sentir a falta de um programa integrado e abrangente para o ensino de língua portuguesa a estrangeiros que em número sempre crescente, por razões de carácter cultural ou profissional, procuram entrar em contacto com uma comunidade linguística que no limiar do século XXI terá ultrapassado os 200 milhões de falantes em todos os continentes.

Perante esta realidade, e na certeza de ir ao encontro de uma necessidade fortemente sentida, as autoras, com base na longa experiência de ensino e elaboração de materiais didácticos da instituição a que pertencem, implementaram o projecto Português sem Fronteiras que agora se edita.

Os Editores, por seu lado, não querem deixar de mencionar, nesta ocasião, o decisivo impulso dado a este projecto pelo Dr. Renato Borges de Sousa que muito do seu sentido criativo lhe transmitiu.

# Tábua de matérias

| UNIDADE | Áreas Lexicais/Tópicos Vocabulares | Áreas Gramaticais/Estruturas |
|---|---|---|
| 1 | Apresentações (1)<br>Nacionalidades (1)<br>Profissões (1) | Afirmativas/Interrogativas/Negativas (1)<br>Artigos definidos (1)<br>Interrogativos (1)<br>Presente do Indicativo (P.I.): ser (1); as formas «chamo-me»/«chama-se»<br>Pronomes pessoais sujeito/Pronomes de tratamento (1) |
| 2 | Apresentações (2)<br>Cumprimentos<br>Família<br>Nacionalidades (2)/Naturalidade<br>Países/Cidades<br>Profissões (2) | Afirmativas/Interrogativas/Negativas(2)<br>Artigos definidos (2)<br>Interrogativas de confirmação<br>Interrogativos (2)<br>Preposições (1)<br>P.I.: ser (2)<br>Pronomes pessoais sujeito/tratamento (2) |
| 3 | A escola (1)<br>Dados pessoais<br>Despedidas (1)<br>Idade | Advérbios de lugar<br>Artigos indefinidos<br>Cardinais (1)<br>Demonstrativos<br>Interrogativos (3)<br>P.I.: ter; regulares em -ar |
| 4 | A casa<br>Cores<br>Estações do ano (1) | Concordância do adjectivo com o substantivo<br>Interrogativos (4)<br>Possessivos<br>Preposições (lugar) (2)<br>P.I.: estar<br>ser v. estar (1) |
| 5 | Comida/bebida (1)<br>Datas<br>Dias da semana<br>Meses do ano<br>Refeições | Advérbios de tempo (1)<br>Cardinais (2)<br>Conjugação perifrástica: estar a + infinitivo<br>Interrogativos (5)<br>P.I.: regulares em -er; a forma «há»<br>P.I. v. conjugação perifrástica |
| 6 | Aniversário<br>Comida/bebida (2)<br>Épocas festivas<br>Estações do ano (2)<br>Horas | Advérbios de tempo (2)<br>Conjugação pronominal reflexa<br>Interrogativos (6)<br>Preposições (tempo) (3)<br>P.I.: irregulares em -er (1)<br>Pronomes pessoais reflexos e sua colocação<br>ser v. estar (2) |

| UNIDADE | Áreas Lexicais/Tópicos Vocabulares | Áreas Gramaticais/Estruturas |
|---------|-----------------------------------|------------------------------|
| 7 | Compras (1)<br>Dinheiro<br>Vestuário | Cardinais (3)<br>Interrogativos (7)<br>Ordinais<br>P.I.: irregulares em -er (2); regulares em -ir<br>Pronomes pessoais complemento indirecto (1) |
| 8 | Cultura portuguesa (1)<br>Movimentações (1)<br>Tempos livres (1) | Conjugação perifrástica: ir + infinitivo<br>Graus dos adjectivos/advérbios (1)<br>Interrogativos (8)<br>Preposições (4)<br>P.I.: irregulares em -ir (1); verbos em -air |
| 9 | Comida/bebida (3)<br>Compras (2)<br>Dinheiro/trocos<br>Estabelecimentos comerciais<br>Unidades de peso | Advérbios de tempo (3)<br>Imperativo (1)<br>Indefinidos (1)<br>P.I.: irregulares em -ar/irregulares em -er (3) |
| 10 | Escritório<br>Marcações/reservas<br>Meios de transporte<br>Negócios (1)<br>Telefone (1) | Imperativo (2)<br>Preposições (5)<br>Verbos auxiliares de modalidade |
| 11 | Desporto<br>Negócios (2) | Advérbios de tempo (4)<br>Graus dos adjectivos/advérbios (2)<br>«Há» com expressões de tempo<br>Pretérito Perfeito Simples do Indicativo (P.P.S.): ir; ser; estar; ter |
| 12 | Bancos<br>Correios<br>Preenchimento de impressos | P.I. v. P.P.S.<br>P.P.S.: regulares em -ar |
| 13 | A saúde<br>O corpo humano | Advérbios de quantidade<br>Conjunções (1)<br>Indefinidos (2)<br>P.I.: verbos em -oer (3.ª pessoa)<br>P.P.S.: regulares em -er e -ir; verbos em -air; irregulares em -er (1) |
| 14 | Cultura portuguesa (2)<br>Telefone (2)<br>Tempos livres (2) | Conjunções (2)<br>P.P.S.: irregulares em -er (2)<br>Pronomes pessoais complemento directo (1); circunstancial (1) |

| UNIDADE | Áreas Lexicais/Tópicos Vocabulares | Áreas Gramaticais/Estruturas |
| --- | --- | --- |
| 15 | Cultura portuguesa (3)<br>Regiões de Portugal<br>Tempos livres (2) | Frases exclamativas<br>Partícula apassivante<br>P.P.S.: irregulares em -er (3)<br>Revisões: P.P.S. |
| 16 | Movimentações (2)<br>Tempos livres (4) | Conjugação perifrástica: haver de + infinitivo<br>Interrogativos (9)<br>Preposições (6)<br>P.P.S.: irregulares em -ir<br>Revisões: P.I.; P.P.S.<br>Sinonímia |
| 17 | A escola (2)<br>Biografia<br>Cultura portuguesa (4) | P.P.S.: irregulares em -er (4); a forma «houve»<br>Pronomes pessoais complemento directo (2); indirecto (2)<br>Revisões: P.I.; P.P.S. |
| 18 | Tempos livres (5) | Imperativo (3)<br>P.P.S.: irregulares em -ar<br>Revisões: imperativo; P.P.S. |
| 19 | Tempos livres (6) | Conjunções (3)<br>P.P.S.: irregulares em -er (5)<br>Pronomes pessoais complemento directo (3)<br>Revisões: P.P.S.; imperativo |
| 20 | Aeroporto<br>Partida/regresso | P.P.S.: irregulares em -er (6)<br>Pronomes pessoais complemento circunstancial (2)<br>Revisões: P.I.; P.P.S.; preposições |

# «Como é que se chama?»

## Áreas gramaticais/Estruturas

Pronomes pessoais sujeito: | eu, você, ele, ela

As formas verbais: | me chamo, se chama, chamo-me, chama-se / sou, é

Artigos definidos (singular): | o, a

---

Advérbios: **não, sim, também**
Conjunções: **e, mas, ou**
Interrogativos: **como, qual**
Preposições: **de**

## Diálogo

*Steve:* Bom dia. Eu chamo-me Steve Harris.
E você? Como é que se chama?

*Marta:* Chamo-me Marta Smith.

*Steve:* Eu sou estudante. E você?

*Marta:* Sou secretária.

*Steve:* Sou americano. Você também é americana?

*Marta:* Não, não sou americana. Sou portuguesa.

 **— Vamos lá falar!**

## Apresentação 1

| Pergunta | Resposta |
|---|---|
| Como (é que eu) me chamo? | (Você) chama-se... |
| Como (é que você) se chama? | (Eu) chamo-me... |
| Como (é que ele/ela) se chama? | (Ele/ela) chama-se... |

### Oralidade 1

1. — Como se chama?
   — Eu chamo-me António.

2. — Como é que ela se chama?
   — Ela chama-se Karin.

3. — Como é que ele se chama?
   — Ele chama-se Michel.

4. — Como é que você se chama?
   — Chamo-me Juan.

5. — E você? Como se chama?
   — Chamo-me Carlo.

6. — E como é que eu me chamo?
   — Você chama-se Madalena.

### Oralidade 2

**Exemplo:** Eu *chamo-me* José.

1. Eu _chamo me_ Teresa.
2. Você _chama se_ Kurt.
3. Ela _chama se_ Yoko.
4. Ele _chama se_ John.
5. Eu _chamo me_ Jacques.
6. Você _chama se_ Marta.

### Oralidade 3

**Exemplo:**
— Ele chama-se Manuel.
— Como *é que ele se chama*?

1. — Ela chama-se Rafaela.
   — Como _____?

2. — Você chama-se Peter.
   — Como _____?

3. — Eu chamo-me Manuela.
— Como _____?

4. — Chama-se Monika.
— Como _____?

5. — Chamo-me Natasha.
— Como _____?

6. — Ele chama-se João.
— Como _____?

## Apresentação 2

| Afirmativa | Negativa |
|---|---|
| (Eu) sou | (Eu) não sou |
| (Você/ele/ela) é | (Você/ele/ela) não é |

### Oralidade 4 🔲

1. Eu sou professora, não sou aluna.

2. Ele é aluno, não é professor.

3. Ela é advogada, não é economista.

4. Você é arquitecto, não é engenheiro.

5. Você é médica, não é enfermeira.

6. Você é tradutora, não é intérprete.

### Oralidade 5 🔲

**Exemplo:** Ele *é* tradutor.

1. Eu _____ professor.

2. Você _____ engenheira.

3. Ele não _____ director.

4. Eu não _____ aluna.

5. Ela _____ recepcionista.

6. Você não _____ economista.

### Oralidade 6 🔲

**Exemplo:**

— Eu sou portuguesa? (*Sim*)
— *Sim, você é portuguesa.*

— Ele é português? (*Não/americano*)
— *Não, não é. É americano.*

1. — Ela é alemã? (*Sim*)
— _____.

2. — Você é espanhol? (*Não/alemão*)
— _____.

3. — Eu sou francesa? (*Não/italiana*)
— _____.

4. — Ele é holandês? (*Não/belga*)
— _____.

5. — Sou austríaco? (*Sim*)
— _____.

6. — Você é suíço? (*Não/sueco*)
— _____.

## Apresentação 3

| Artigos definidos | |
|---|---|
| singular | |
| masculino | feminino |
| **o** | **a** |

## Oralidade 7

1. ____ Pedro é português, mas ____ Susan é inglesa.

2. ____ professor chama-se Manuel.

3. ____ Sabine é alemã e ____ Hans também é alemão.

4. ____ João é engenheiro e ____ Marta é secretária.

5. ____ recepcionista chama-se Teresa.

## Texto

Boa tarde. Chamo-me Madalena, sou portuguesa e sou professora. O Kurt também é professor, mas não é português, é alemão.

E a Karin? Qual é a nacionalidade e a profissão da Karin? Ela é alemã e é tradutora.

A Rafaela é italiana ou espanhola? É italiana.

E o Juan? Também é italiano? Não, é espanhol.

Qual é a profissão da Rafaela e do Juan? Ela é intérprete e ele é economista.

# — Vamos lá escrever!

## Compreensão

1. Como é que se chama a professora?

   _____

2. Qual é a nacionalidade do Kurt?

   _____

3. O Kurt é aluno ou professor?

   _____

4. A Rafaela é italiana. E o Juan também é?

   _____

5. Qual é a profissão da Rafaela e do Juan?

   _____

## Escrita 1

**Exemplo:** A/Kurt/e/é/alemã/Karin/o/alemão/é/.
*A Karin é alemã e o Kurt é alemão.*

1. O/Rafaela/intérprete/é/mas/João/é/a/engenheiro/.

   _____

2. Qual/a/é/do/nacionalidade/Kurt/?

   _____

3. Eu/professora/e/sou/portuguesa/sou/.

   _____

4. Como/se chama/é que/recepcionista/a/?

   _____

5. Você/engenheiro/é/arquitecto/ou/?

   _____

## Escrita 2

Complete:

Ela _____ Carmen e _____ espanhola.

E ele? Como _____ ele _____? _____ chama-se José e é

_____ .

_____ Carmen _____ professora _____ aluna?

_____ é professora, _____ ele é _____ .

E você? _____ chamo-me Peter e _____ tradutor.

E _____ é a _____ da Paula? Ela _____ médica?

_____, é enfermeira.

Qual _____ a _____ e a _____ do Roberto? Ele

_____ brasileiro e _____ médico.

## Escrita 3

| NOME | PAÍS | NACIONALIDADE | LÍNGUA | PROFISSÃO |
|---|---|---|---|---|
| Steve | E.U.A. | *americano* | *inglês* | *estudante* |
| Helga | Suécia | | sueco | estudante |
| Yoko | Japão | japonesa | | arquitecta |
| Teresa | Portugal | | | |
| Carmen | Espanha | | | |
| Natasha | U.R.S.S. | russa | | enfermeira |
| Karin | Alemanha | | | |
| Jacques | Bélgica | belga | | economista |
| Rafaela | Itália | | | |

| NOME | PAÍS | NACIONALIDADE | LÍNGUA | PROFISSÃO |
|------|------|---------------|--------|-----------|
| Jacqueline | França | | | advogada |
| Roberto | Brasil | | | |
| Susan | Inglaterra | | | secretária |
| Hans | Áustria | | | engenheiro |
| Francesca | Suíça | | italiano | médica |
| Brigitte | Holanda | | | tradutora |

# Sumário

## Objectivos funcionais

Cumprimentar:                    «Bom dia.»
                                 «Boa tarde.»

Dar ênfase:                      «Como é que se chama?»
Dar informações pessoais:        «Chamo-me Madalena.»
                                 «Sou professora.»
                                 «Sou portuguesa.»

Pedir informações pessoais:      «Como é que se chama?»
                                 «Qual é a profissão da Paula?»
                                 «Qual é a nacionalidade do Kurt?»

## Vocabulário

### Substantivos e adjectivos:

o advogado
a Alemanha
  alemão (adj.)
o aluno
  americano (adj.)
o arquitecto
a Áustria
  austríaco (adj.)
a Bélgica
  belga (adj.)
o Brasil
  brasileiro (adj.)
o director

o economista
o enfermeiro
o engenheiro
a Espanha
  espanhol (adj.)
o estudante
os Estados Unidos
  da América (E.U.A.)
a França
  francês (adj.)
a Holanda
  holandês (adj.)

a Inglaterra
  inglês (adj.)
o intérprete
a Itália
  italiano (adj.)
o Japão
  japonês (adj.)
a língua
o médico
a nacionalidade
o país
  Portugal
  português (adj.)

o professor
a profissão
o recepcionista
  russo (adj.)
a secretária
a Suécia
  sueco (adj.)
a Suíça
  suíço (adj.)
o tradutor
a União Soviética
  (U.R.S.S.)

### Expressões:

| Boa tarde. | Bom dia. | ...é que... | |
|------------|----------|-------------|--|

### Verbos:

| chamar-se | ser | | |
|-----------|-----|--|--|

**«Tu é que és o amigo do Miguel, não és?»**

## Áreas gramaticais/Estruturas

Pronomes pessoais sujeito: | **eu, tu, você, ele, ela, nós, vocês, eles, elas**

Presente do indicativo: | **ser**

### Interrogativas de confirmação

Artigos definidos (plural): | **os, as**

Tratamento formal e informal: | **tu, você(s), o(s) senhor(es), a(s) senhora(s)**

---

Advérbios: **bem, pois**
Demonstrativos: **esta, este(s)**
Indefinidos: **todos**
Interjeições: **olá!**
Interrogativos: **de onde, onde, quantos, quem**
Possessivos: **meu(s), minha**
Preposições: **em**

14

## Diálogo

*Miguel:* Desculpe. Você é o Steve Harris?

*Steve:* Sim, sou. Sou o Steve Harris.
És o Miguel Santos?

*Miguel:* Sou, sim. Como estás?

*Steve:* Bem, obrigado.

*Miguel:* Estes são os meus pais.

*Steve:* Muito prazer. Como estão os senhores?

*Sr. Santos:* Bem obrigado.

*D. Ana:* Muito gosto, Steve. Bem-vindo a Lisboa.

*Miguel:* Esta é a minha irmã Sofia.

*Sofia:* Como está, Steve?

*Miguel:* E este é o meu irmão Rui.

*Rui:* Olá! Tu é que és o amigo do Miguel, não és?

# — Vamos lá falar!

## Apresentação 1

| Pronomes pessoais | Presente do indicativo | |
|---|---|---|
| | Verbo **ser** | |
| sujeito | afirmativa | negativa |
| **eu** | **sou** | *não* **sou** |
| **tu** | **és** | *não* **és** |
| **você** | **é** | *não* **é** |
| **ele**, **ela** | | |
| **nós** | **somos** | *não* **somos** |
| **vocês** | **são** | *não* **são** |
| **eles**, **elas** | | |

### Oralidade 1

1. Eu sou
2. Tu és
3. Você é
4. Ele é
5. Ela é

6. Nós somos
7. Vocês são
8. Eles são
9. Elas são

## Oralidade 2 🔲

> **Exemplo:**
> — Quem és tu? (*Steve*)
> — (Eu) *sou o Steve*.

1. — Quem é ela? (*D. Ana*)
   — (Ela)_____ .

2. — Quem são vocês? (*família Santos*)
   — (Nós) _____ .

3. — Quem são eles? (*Miguel e Rui*)
   — (Eles) _____ .

4. — Quem sou eu? (*Rui*)
   — (Tu) _____ .

5. — Quem és tu? (*amigo do Miguel*)
   — (Eu) _____ .

6. — Quem é ele? (*irmão do Rui e da Sofia*)
   — (Ele)_____ .

## Oralidade 3 🔲

> **Exemplo:**
> — O Steve é o amigo do Miguel? (*Sim*)
> — *Sim, é.*
>
> — O Rui é o pai da Sofia? (*Não / irmão*)
> — *Não, não é. É o irmão da Sofia.*

1. — O Sr. Santos e a D. Ana são portugueses? (*Sim*)
   — _____ .

2. — Vocês são americanos? (*Não / portugueses*)
   — _____ .

3. — O Steve e o Miguel são irmãos? (*Não / amigos*)
   — _____ .

4. — O Rui e a Sofia são irmãos? (*Sim*)
   — _____ .

5. — Rui, és professor? (*Não / aluno*)
   — _____ .

## Apresentação 2

| | Interrogativas de confirmação | | |
|---|---|---|---|
| (eu) | sou . . . . . . . . , **não sou?** | não sou . . . . . . . . | |
| (tu) | és . . . . . . . . , **não és?** | não és . . . . . . . . | |
| (você, ele, ela) | é . . . . . . . . , **não é?** | não é . . . . . . . . | **, pois não?** |
| (nós) | somos . . . . . . , **não somos?** | não somos . . . . . . | |
| (vocês, eles, elas) | são . . . . . . , **não são?** | não são . . . . . . . . | |

## Oralidade 4 🖭

1. O Steve é americano, _____ ?

2. O Miguel e o Rui não são franceses, _____ ?

3. Somos alunos de português, _____ ?

4. Sou professora, _____ ?

5. Não és economista, _____ ?

# Apresentação 3

| | Artigos definidos | |
|---|---|---|
| | masculino | feminino |
| singular | o | a |
| plural | os | as |

## Oralidade 5 🖭

1. _____ irmã do Miguel chama-se Sofia.

2. _____ Sr. e _____ Sra. Santos são _____ pais do Miguel.

3. Elas são _____ amigas da Sofia.

4. _____ D. Ana é _____ mãe dos amigos do Steve.

5. _____ Sr. Santos é _____ pai do Miguel.

# Apresentação 4

| | Tratamento | |
|---|---|---|
| | formal | informal |
| singular | você (−)<br>o senhor (+)<br>a senhora (+) | tu |
| plural | os senhores<br>as senhoras | vocês |

## Oralidade 6 🖭

1. *Steve:* _____ é o pai do Miguel? (+*formal*)
   *Sr. Santos:* Sim, sou.

2. *Steve:* _____ são os irmãos da Sofia? (*informal*)
   *Miguel e Rui:* Sim, somos.

3. *D. Ana:* _____ é americano, Steve? (− *formal*)
   *Steve:* Sou, sim.

4. *Rui:* _____ és o amigo do Miguel, não és? (*informal*)
   *Steve:* Sou, pois.

5. *Steve:* Como estão _____ ? (+*formal*)
   *Sr. Santos e D. Ana:* Bem, obrigado.

## Texto

*Miguel:* De onde és, Steve?

*Steve:* Sou de Boston, nos Estados Unidos da América. E vocês?

*Miguel:* Eu, os meus pais e os meus dois irmãos somos de Lisboa. Os meus avós são do Rio de Janeiro, no Brasil. A minha avó é professora de português e o meu avô é o director da escola de línguas no Rio de Janeiro. A tia Celeste, irmã da minha mãe, é médica no hospital de Faro e o marido, o tio Fernando, é piloto da TAP. Os meus três primos são todos do Algarve.

# ✎ — Vamos lá escrever!

## Compreensão 📼

1. De onde são os avós do Miguel?

2. Quem é professora de português na escola de línguas?

3. Onde é o Rio de Janeiro?

4. Qual é o nome do tio do Miguel?

5. Como é que a tia se chama?

6. Quantos são os primos do Miguel?

## Escrita 1

> **Exemplo:** amigos/e/tu/são/Steve/o/são/não/?
> *Tu e o Steve são amigos, não são?*

1. Harris/a/não/família/é/Portugal/de/pois/não/?

2. Celeste/a/médica/tia/é/hospital/no/Faro/de/.

3. Steve/é/onde/de/o/?

4. do/primos/não/os/Miguel/do/são/Algarve/são/?

5. pais/são/os/de/Miguel/Lisboa/do/.

## Escrita 2

A

*Steve:* _____ ?

*Miguel:* Nós somos todos de Lisboa. E tu?

*Steve:* _____ .

*Rui:* Onde é Boston?

*Steve:* _____ .

$\boxed{\text{B}}$

D. Ana: Olá, Steve! Como estás?

Steve: _Muito Bem obrigado_ . _e tu_ ?

D. Ana: Muito bem, obrigada.

Steve: _____ ?

D. Ana: Ele é director comercial. E tu, Steve?

Steve: _____ .

$\boxed{\text{C}}$

Steve: Boa noite. Eu sou o Steve Harris.

Dra. Celeste: _____ . _____?

Steve: Sou sim. Sou o amigo do Miguel.

_____ , não é?

Dra. Celeste: Sim, sou a tia do Miguel e também do Rui e da Sofia.

Steve: A senhora é médica, não é? Onde?

Dra. Celeste: _____ .

# Sumário

## Objectivos funcionais

| | |
|---|---|
| Apresentar alguém | «Estes são os meus pais.» |
| Apresentar-se | «Eu sou o Steve Harris.» |
| Chamar a atenção | «Desculpe.» |
| Confirmar, perguntando | «Tu é que és o amigo do Miguel, não és?» «O Miguel e o Rui não são franceses, pois não?» |
| Cumprimentar alguém | «Olá!» «Como estás?» «Como está?» «Como estão?» «Boa noite.» |
| Dar confirmação | «Sim, sou.» «Sou, sim.» «Sou, pois.» «Não, não sou.» «Não sou, não.» |

| | |
|---|---|
| Dar informações pessoais | «Sou de Boston.» |
| Dirigir-se a alguém de modo { formal / informal | «O senhor é o pai do Miguel?» / «Tu és o amigo do Miguel?» |
| Falar da localização geográfica | «Onde é Boston?» / «É nos E.U.A.» |
| Identificar alguém | «Ele é o irmão do Rui e da Sofia.» |
| Pedir informações pessoais | «De onde és, Steve?» |
| Responder a apresentações | «Muito gosto.» / «Muito prazer.» |
| Responder a cumprimentos | «Muito bem, obrigado.» / «Bem, obrigado.» |
| Solicitar a identidade de alguém | «Quem é ele?» |

## Vocabulário

### Substantivos, adjectivos e numerais:

| | | | |
|---|---|---|---|
| o Algarve | a Dona (D.) | a mãe | o Rio de Janeiro |
| o amigo | a doutora (Dra.) | o marido | a senhora (Sra.) |
| a avó | a escola | a noite | o senhor (Sr.) |
| o avô | a família | o nome | a TAP (Transportes |
| os avós | Faro | o pai | Aéreos Portugueses) |
| Boston | o hospital | o piloto | o tio |
| comercial (adj.) | o irmão | o primo | três |
| dois | Lisboa | | |

### Expressões:

| | | | |
|---|---|---|---|
| Boa noite. | | Desculpe. | Muito gosto. |
| Bem, obrigado. | Como { estás? / está? / estão? | Muito bem, obrigado. | Muito prazer. |
| Bem-vindo a... | | | |

### Verbos:

| | | | |
|---|---|---|---|
| ser { (de) / (em) | | | |

21

«O que é aquilo ali, Miguel?»

## Áreas gramaticais/Estruturas

Cardinais: 1 a 20

Artigos indefinidos (singular): um, uma

Presente do indicativo: ter, verbos regulares em -ar (1.ª conjugação)

Demonstrativos invariáveis: isto, isso, aquilo

Advérbios de lugar: aqui, aí, ali

Demonstrativos variáveis: este(s), esta(s), esse(s), essa(s), aquele(s), aquela(s)

---

Advérbios: **já, lá, mais, muito, onde**
Conjunções: **porque**
Indefinidos: **muitos**
Interrogativos: **o que, porque, que**
Preposições: **para**

## Diálogo

*Steve:* O que é aquilo ali, Miguel?

*Miguel:* Aquilo é a escola onde estudamos.

*Paulo:* Olá, Miguel!

*Miguel:* Olá! Este é o meu amigo americano, o Steve Harris.

*Paulo:* Olá, Steve! Falas português?

*Steve:* Um bocadinho. Ando numa escola de português para estrangeiros.

*Paulo:* E tens muitos colegas?

*Steve:* Tenho. Na minha aula somos quinze.

*Miguel:* Bom. Vamos, Steve? Até amanhã, Paulo.

*Paulo:* Até amanhã, Miguel. Adeus, Steve.

*Steve:* Adeus.

#  — Vamos lá falar!

## Apresentação 1

| Cardinais | |
|---|---|
| 1 — **um/uma** | 11 — **onze** |
| 2 — **dois/duas** | 12 — **doze** |
| 3 — **três** | 13 — **treze** |
| 4 — **quatro** | 14 — **catorze** |
| 5 — **cinco** | 15 — **quinze** |
| 6 — **seis** | 16 — **dezasseis** |
| 7 — **sete** | 17 — **dezassete** |
| 8 — **oito** | 18 — **dezoito** |
| 9 — **nove** | 19 — **dezanove** |
| 10 — **dez** | 20 — **vinte** |

### Oralidade 1

| 15 | 17 | 10 | 13 | 4 | 6 | 1 | 9 | 12 | 3 |
|----|----|----|----|---|---|---|---|----|---|
| 2 | 20 | 5 | 7 | 19 | 14 | 18 | 16 | 8 | 11 |

## Apresentação 2

| Artigos indefinidos | |
|---|---|
| singular | |
| masculino | feminino |
| **um** | **uma** |

## Oralidade 2 🔲

| | | | |
|---|---|---|---|
| 1. _____ livro | | 6. _____ caderno |
| 2. _____ caneta | | 7. _____ régua |
| 3. _____ dicionário | | 8. _____ pasta |
| 4. _____ lápis | | 9. _____ quadro |
| 5. _____ borracha | | 10. _____ mesa |

# Apresentação 3

| Presente do indicativo | |
|---|---|
| Verbo **ter** | |
| (eu) | **tenho** |
| (tu) | **tens** |
| (você, ele, ela) | **tem** |
| (nós) | **temos** |
| (vocês, eles, elas) | **têm** |

## Oralidade 3 🔲

| | |
|---|---|
| 1. Eu tenho | 6. Nós temos |
| 2. Tu tens | 7. Vocês têm |
| 3. Você tem | 8. Eles têm |
| 4. Ele tem | 9. Elas têm |
| 5. Ela tem | |

## Oralidade 4 🔲

**Exemplo:**

— Tens uma caneta, Miguel? (*Não / Sofia*)
— *Não, não tenho, mas a Sofia tem.*

— Vocês têm irmãos? (*Sim / quatro*)
— *Sim, temos. Temos quatro irmãos.*

1. — O Steve tem um apartamento em Lisboa? (*Não / nós*)
— _____

2. — O Sr. e a Sra. Santos têm filhos? (*Sim / três*)
— _____

3. — Tens uma bicicleta? (*Não / Rui*)
— _____

4. — Paulo, tens irmãos? (*Sim / dois*)

— _____.

5. — Vocês têm um dicionário? (*Não / elas*)

— _____.


# Apresentação 4

| A | Pronomes demonstrativos invariáveis | Advérbios de lugar |
|---|---|---|
| | **isto** | **aqui** |
| | **isso** | **aí** |
| | **aquilo** | **ali** |


## Oralidade 5 🔲

| **Exemplo:** | — O que é isso aí? (*lápis*) |
|---|---|
| | — *Isto aqui é um lápis*. |
| | — O que é aquilo ali? (*mesas*) |
| | — *Aquilo ali são mesas*. |

1. — O que é aquilo ali? (*pasta*)

— _____.

2. — O que é isso aí? (*livros*)

— _____.

3. — O que é isto aqui? (*borracha*)

— _____.

4. — O que é aquilo ali? (*dicionário*)

— _____.

5. — O que é isto aqui? (*cadeiras*)

— _____.

6. — O que é isso aí? (*régua*)

— _____.


| B | Pronomes demonstrativos variáveis | | | | |
|---|---|---|---|---|---|
| | singular | | plural | | |
| | masculino | feminino | masculino | feminino | |
| | **este** | **esta** | **estes** | **estas** | (aqui) |
| | **esse** | **essa** | **esses** | **essas** | (aí) |
| | **aquele** | **aquela** | **aqueles** | **aquelas** | (ali) |

## Oralidade 6

1. _____ lápis aqui é do Miguel.

2. _____ borracha ali é da Sofia.

3. _____ livros aí são do meu amigo Steve.

4. _____ jornal ali é do Sr. Santos.

5. _____ canetas aqui são do Rui.

6. _____ cadernos aí são do Paulo.

## Oralidade 7

**Exemplo:**

> — O que é isto aqui? (*lápis / Rui*)
> — ***Isso é um lápis. Esse lápis é do Rui.***

> — O que é aquilo? (*livros / alunos*)
> — ***Aquilo são livros. Aqueles livros são dos alunos.***

1. — O que é isso aí? (*caneta / professor*)
   — _____.

2. — O que é aquilo? (*dicionários / Steve*)
   — _____.

3. — O que é isto? (*cadernos / minha irmã*)
   — _____.

4. — O que é isso? (*jornal / pai da Sofia*)
   — _____.

5. — O que é isto? (*revistas / D.Ana*)
   — _____.

6. — O que é aquilo? (*borracha / Miguel*)
   — _____.

# Apresentação 5

| Presente do indicativo | |
|---|---|
| Verbos regulares em **-ar** | |
| (eu) | and**o** |
| (tu) | estud**as** |
| (você, ele, ela) | fal**a** |
| (nós) | jog**amos** |
| (vocês, eles, elas) | trabalh**am** |

## Oralidade 8

1. Eu **falo** alemão.

2. Tu **estudas** Matemática.

3. Você **joga** ténis.

4. Ele **anda** na Universidade.

5. Ela **trabalha** no Porto.

6. Nós **moramos** em Lisboa.

7. Vocês **trabalham** em Faro.

8. Eles **jogam** futebol.

9. Elas **estudam** línguas.

## Oralidade 9

1. — Vocês falam inglês?
   — Claro! _____ muito bem.

2. — O Sr. e a Sra. Santos trabalham no Porto?
   — Não, _____ em Lisboa.

3. — Estudas português, Steve?
   — Sim, _____ numa escola de línguas.

4. — O Rui joga ténis?
   — Não, _____ futebol.

5. — O Sr. e a Sra. Harris moram em Lisboa?
   — Não, _____ em Boston.

6. — O senhor fuma?
   — Não, não _____ .

7. — Tu também andas na escola do Steve?
   — Sim, também _____ lá.

8. — Os pais do Steve trabalham?
   — O pai _____, mas a mãe não.

9. — O Steve gosta da família Santos?
   — Claro! _____ muito.

10. — Onde é que você mora?
    — _____ em Lisboa.

## Texto

A família Santos mora em Lisboa. O Sr. Santos trabalha numa empresa e a D. Ana é empregada num escritório. Os filhos — o Miguel, a Sofia e o Rui — andam todos na escola: o Miguel tem 18 anos, a Sofia 17 e o Rui tem 12 anos.

O Miguel estuda Ciências, mas a Sofia não. Ela gosta mais de línguas e já fala inglês, francês e alemão. E o Rui? Gosta da escola? Gosta, porque tem lá muitos amigos, mas não estuda muito. Gosta mais de futebol e já joga muito bem.

# ✏️ — Vamos lá escrever!

## Compreensão 📼

1. Onde mora a família Santos?

_____

2. Onde é que a D. Ana trabalha?

_____

3. Que idade é que os filhos têm?

_____

4. O que é que o Miguel e a Sofia estudam?

_____

5. Porque é que o Rui gosta da escola?

_____

## Escrita 1

A + B + C

| A | B | C |
|---|---|---|
| 1. *O amigo do Miguel* | falar | bem inglês, francês e alemão. |
| 2. O Sr. e a Sra. Santos | estudar | futebol na escola. |
| 3. Eu e os meus amigos | ser | na escola do Miguel. |
| 4. O Paulo | jogar | empregada num escritório, D. Ana? |
| 5. A Sofia já | morar | três filhos: o Miguel, a Sofia e o Rui. |
| 6. A senhora | *chamar-se* | num hospital em Faro. |
| 7. O Steve | trabalhar | no Algarve. |
| 8. Os primos do Rui | andar | em Boston, pois não? |
| 9. A Dra. Celeste | ter | muito de Portugal. |
| 10. Sofia, tu não | gostar | *Steve Harris.* |

1. *O amigo do Miguel* **chama-se** *Steve Harris.* _____

2. _____

3. _____

4. _____

5. _____

6. _____

7. _____

8. _____

9. _____

10. _____

# Sumário

## Objectivos funcionais

Contar de 1 a 20

| | |
|---|---|
| Dar informações sobre alguém | «A D. Ana é empregada num escritório.» |
| Despedir-se de alguém | «Até amanhã.» <br> «Adeus.» |
| Identificar coisas | «Aquilo é a escola onde estudamos.» |
| Pedir a identificação de coisas | «O que é aquilo ali, Miguel?» |
| Pedir informações sobre alguém | «Onde mora a família Santos?» |
| Perguntar ⎫ <br> Dizer ⎬ a idade | «Que idade é que os filhos deles têm?» <br> «O Miguel tem 18 anos, a Sofia 17 e o Rui tem 12 anos.» |

## Vocabulário

### Substantivos, adjectivos e numerais:

| | | | |
|---|---|---|---|
| o apartamento | dezasseis | a idade | quinze |
| a aula | dezassete | o jornal | a régua |
| a bicicleta | dezoito | o lápis | a revista |
| a borracha | o dicionário | o livro | seis |
| a cadeira | dois | a Matemática | sete |
| o caderno | doze | a mesa | o ténis |
| a caneta | duas | nove | três |
| catorze | o empregado | oito | treze |
| as Ciências | a empresa | onze | um |
| cinco | o escritório | a pasta | uma |
| o colega | o estrangeiro | o Porto | a Universidade |
| dez | o filho | o quadro | vinte |
| dezanove | o futebol | quatro | |

### Expressões:

| | | | |
|---|---|---|---|
| Adeus. <br> Até amanhã. | Bom. <br> Claro! <br> Que idade...? | ter ⎰ anos <br> ⎱ idade | Um bocadinho. <br> Vamos? |

### Verbos:

| | | | |
|---|---|---|---|
| andar <br> estudar <br> falar | fumar <br> gostar (de) | jogar <br> morar | ter <br> trabalhar |

# «Onde está a minha bola encarnada, Miguel?»

## Áreas gramaticais/Estruturas

Presente do indicativo:  | **estar**

Preposições e locuções prepositivas: | **em, entre, dentro de, em cima de, atrás de, debaixo de, em frente de, ao lado de**

Possessivos: | **meu(s), minha(s), teu(s), tua(s), seu(s), sua(s), nosso(s), nossa(s), vosso(s), vossa(s), dele(s), dela(s)**

---

Advérbios: | **agora, então, hoje, logo, ora, pouco, só**
Demonstrativos: | **a**
Interjeições: | **ó!**
Interrogativos: | **de que, de quem**
Locuções adverbiais: | **ao lado, em frente, se calhar**
Preposições: | **até**

## Diálogo

*Rui:* Onde está a minha bola encarnada, Miguel?

*Miguel:* A tua bola? Se calhar está no teu quarto, debaixo da cama ou dentro do armário.

*Sofia:* Ó Miguel! Onde está a minha raqueta de ténis?

*Miguel:* Está em cima da cadeira, na sala de estar.

*Sofia:* Ora, esta raqueta branca não é minha. É do Steve.

*Miguel:* Tens razão. Mas ele hoje não tem ténis.

*Sofia:* Então levo a dele. Até logo!

*Miguel:* Até logo!

#  — Vamos lá falar!

## Apresentação 1

| Presente do indicativo | |
|---|---|
| Verbo **estar** | |
| (eu) | **estou** |
| (tu) | **estás** |
| (você, ele, ela) | **está** |
| (nós) | **estamos** |
| (vocês, eles, elas) | **estão** |

### Oralidade 1

1. Eu estou
2. Tu estás
3. Você está
4. Ele está
5. Ela está
6. Nós estamos
7. Vocês estão
8. Eles estão
9. Elas estão

### Oralidade 2

**Exemplo:** | A raqueta da Sofia *está* na sala.

1. A bola do Rui _____ no quarto.
2. As canetas _____ na mesa.
3. Eu e os meus amigos _____ em casa.
4. — Miguel, onde é que tu _____?
5. — _____ aqui, na sala.
6. O Steve _____ na escola.

# Apresentação 2

| As cores | | | |
|---|---|---|---|
| singular | | plural | |
| masculino | feminino | masculino | feminino |
| amarelo | amarela | amarelos | amarelas |
| branco | branca | brancos | brancas |
| castanho | castanha | castanhos | castanhas |
| cinzento | cinzenta | cinzentos | cinzentas |
| preto | preta | pretos | pretas |
| vermelho | vermelha | vermelhos | vermelhas |
| encarnado | encarnada | encarnados | encarnadas |
| azul verde | | azuis verdes | |
| cor-de-laranja cor-de-rosa | | | |

## Oralidade 3

1. Num dia de sol o céu está _____ .

2. No Outono as folhas são _____ e no Verão são _____ .

3. Num dia de chuva o céu está _____ .

4. A neve é _____ .

5. A bandeira de Portugal é _____ e _____ .

6. O sangue é _____ .

7. O carvão é _____ .

# Apresentação 3

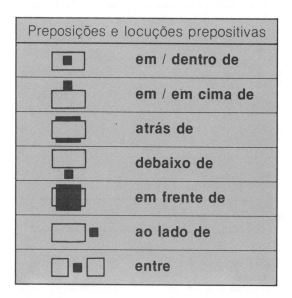

| Preposições e locuções prepositivas | |
|---|---|
| ■ | em / dentro de |
| | em / em cima de |
| | atrás de |
| | debaixo de |
| | em frente de |
| | ao lado de |
| | entre |

## Oralidade 4

1. Estaciono o meu carro _____ _____ _____ casa.

2. A escola é _____ _____ _____ Correios.

3. O supermercado fica _____ o banco e a farmácia.

4. A pasta do Steve está _____ _____ _____ mesa.

5. A família Santos mora _____ apartamento _____ Lisboa.

6. A bola do Rui está _____ _____ cama e não _____ _____ armário.

7. O quadro está _____ _____ professora.

# Apresentação 4

| A | Possessivos | | | |
|---|---|---|---|---|
| | singular | | plural | |
| Possuidor | masculino | feminino | masculino | feminino |
| eu | o **meu** livro | a **minha** pasta | os **meus** livros | as **minhas** pastas |
| tu | o **teu** amigo | a **tua** amiga | os **teus** amigos | as **tuas** amigas |
| você<br>o Senhor<br>a Senhora | o **seu** ... | a **sua** ... | os **seus** ... | as **suas** ... |
| nós | o **nosso** ... | a **nossa** ... | os **nossos** ... | as **nossas** ... |
| vocês<br>os Senhores<br>as Senhoras | o **vosso** ... | a **vossa** ... | os **vossos** ... | as **vossas** ... |

| B | | |
|---|---|---|
| Possuidor | Possessivos | |
| ele | o livro<br>a amiga<br>os livros<br>as amigas **dele** | |
| ela | o livro<br>a amiga<br>os livros<br>as amigas **dela** | |
| eles | o livro<br>a amiga<br>os livros<br>as amigas **deles** | |
| elas | o livro<br>a amiga<br>os livros<br>as amigas **delas** | |

# Oralidade 5

**Exemplo:**  Eu/máquina fotográfica
*A minha máquina fotográfica.*

1. Tu/bola de futebol
   _____ .

2. Nós/apartamento
   _____ .

3. Eles/carro
   _____ .

4. Vocês/sala de aula
   _____ .

5. Eu/livros de português
   _____ .

6. O senhor/jornal
   _____ .

7. Elas/raquetas
   _____ .

8. Você/escritório
   _____ .

9. A senhora/revistas
   _____ .

10. Ele/escola
    _____ .

11. Tu e o Miguel/amigo
    _____ .

12. Eu e a Sofia/pais
    _____ .

13. O senhor e a senhora/quarto
    _____ .

14. Você/dicionários
    _____ .

# Oralidade 6

**Exemplo:**  — De quem é esta cadeira? (*eu*)
— *É minha.*

1. — De quem é este dicionário? (*tu*)
   — _____ .

2. — De quem são aquelas canetas? (*nós*)
   — _____ .

3. — De quem é aquele carro cinzento? (*eu*)
   — _____ .

4. — De quem são essas revistas? (*ela*)
   — _____ .

5. — De quem é esta borracha? (*você*)
   — _____ .

6. — De quem são as raquetas? (*elas*)
   — _____ .

7. — De quem é aquele jornal? (*vocês*)
   — _____ .

8. — De quem é esse lápis? (*a senhora*)
   — _____ .

9. — De quem são estes livros? (*nós*)
   — _____ .

10. — De quem são esses cadernos? (*ele*)
    — _____ .

## Texto

O Steve é americano, mas está em Portugal. Ele mora em casa da família Santos e tem um quarto só dele. O quarto é grande, tem paredes azuis e duas janelas pequenas.

O quarto do Miguel e do Rui fica ao lado. O quarto deles tem paredes amarelas e também é grande.

O quarto da Sofia fica em frente. O quarto dela tem paredes cor-de-rosa, é um pouco mais pequeno, mas tem uma janela larga.

Agora não estão nos quartos; estão todos na sala.

# — Vamos lá escrever!

## Compreensão

1. O Steve está nos Estados Unidos da América?

   _____

2. Onde é que ele mora?

   _____

3. Como é o quarto do Steve?

   _____

4. O Miguel tem um quarto só dele?

   _____

5. De que cor é o quarto da Sofia?

   _____

6. Quantas janelas tem o quarto dela?

   _____

7. Onde é que eles estão agora?

   _____

## Escrita 1

> **Exemplo:** pasta/Sr. Santos/ser/castanho/.
> *A pasta do Sr. Santos é castanha.*

1. carro/Dra. Celeste/ser/cinzento/.

   _____

2. pais/Steve/ser/americano/.

   _____

3. canetas/preto/estar/mesa/.

   _____

4. Steve/estar/Portugal/casa/família Santos/.

   _____

5. bolas/ténis/ser/branco/ou/cor-de-laranja/?

   _____

6. Steve/ter/muito/colega/francês/.

   _____

7. quarto/Steve/ter/paredes/azul/.

   _____

8. Steve/gostar/muito/aulas/português/.

   _____

9. folhas/Outono/ser/amarelo/e/Verão/ser/verde/.

   _____

10. Steve/andar/escola/português/estrangeiros/.

   _____

# Sumário

## Objectivos funcionais

| | |
|---|---|
| Chamar alguém (informal) | «Ó Miguel!» |
| Concordar | «Tens razão.» |
| Descrever coisas | «O quarto dela tem paredes cor-de-rosa.» |
| Despedir-se de alguém | «Até logo!» |
| Identificar a cor | «A neve é branca.» |
| Identificar o possuidor | «É minha.» |
| Indicar o estado acidental | «(Ele) está em Portugal.» |
| Indicar o estado natural/habitual | «O Steve é americano.» |
| Pedir para descrever coisas | «Como é o quarto do Steve?» |
| Perguntar pela cor | «De que cor é o quarto da Sofia?» |
| Perguntar pela localização ⎫ no espaço | «Onde está a minha raqueta de ténis?» |
| Indicar a localização ⎭ | «Está em cima da cadeira.» |
| Perguntar quem é o possuidor | «De quem é esta máquina fotográfica?» |

## Vocabulário

### Substantivos e adjectivos:

| | | | |
|---|---|---|---|
| amarelo (adj.) | castanho (adj.) | a folha | a raqueta |
| o armário | o céu | grande (adj.) | a razão |
| azul (adj.) | a chuva | a janela | a sala |
| o banco | cinzento (adj.) | largo (adj.) | a sala de aula |
| a bandeira | a cor | a máquina fotográfica | a sala de estar |
| a bola | cor-de-laranja (adj.) | a neve | o sangue |
| branco (adj.) | cor-de-rosa (adj.) | o Outono | o sol |
| a cama | os Correios | a parede | o supermercado |
| o carro | o dia | pequeno (adj.) | o Verão |
| o carvão | encarnado (adj.) | preto (adj.) | verde (adj.) |
| a casa | a farmácia | o quarto | vermelho (adj.) |

### Expressões:

| | | | |
|---|---|---|---|
| Até logo. | De que cor...? | Se calhar... | ter razão |

### Verbos:

| | | | |
|---|---|---|---|
| estacionar | estar | ficar | levar |

## «Eu bebo o meu frio, mãe.»

UNIDADE 5

## Áreas gramaticais/Estruturas

Cardinais:
> 21 a 100

Presente do indicativo:
> haver (forma impessoal)
> verbos regulares em -er (2.ª conjugação)

Conjugação perifrástica:
> estar a + infinitivo

---

Advérbios: **ainda, amanhã, fora, geralmente, normalmente, sempre**

Conjunções: **como, enquanto**

Indefinidos: **uma**

Interjeições: **hum!**

Interrogativos: **quais**

Locuções adverbiais: **à tarde, à tardinha, com facilidade, de manhã, de manhãzinha**

Preposições: **a, sem**

## Diálogo

*D. Ana:* Bom dia. Já a pé?! Hoje não há aulas!

*Steve:* Bom dia, D. Ana. Agora temos treino aos sábados.

*Miguel:* Bom dia, mãe. O pequeno-almoço já está pronto?

*D. Ana:* Ainda não. Estou a arranjar.

*Miguel:* O que é que há para comer?

*D. Ana:* Está aqui pão e no frigorífico há queijo e fiambre.

*Steve:* Hum! Estou cheio de fome.

*D. Ana:* Porque é que não comem já uma sandes de fiambre com manteiga, enquanto aqueço o leite?

*Miguel:* Eu bebo o meu frio, mãe.

#  — Vamos lá falar!

## Apresentação 1

| Cardinais | |
|---|---|
| 21 — **vinte e um** | 40 — **quarenta** |
| 22 — **vinte e dois** | 41 — **quarenta e um** |
| 23 — **vinte e três** | ... |
| 24 — **vinte e quatro** | 50 — **cinquenta** |
| 25 — **vinte e cinco** | 60 — **sessenta** |
| ... | 70 — **setenta** |
| 30 — **trinta** | 80 — **oitenta** |
| 31 — **trinta e um** | 90 — **noventa** |
| 32 — **trinta e dois** | 100 — **cem** |
| 33 — **trinta e três** | |
| ... | |

**Oralidade 1** 🗍

| 36 | 25 | 86 | 37 | 88 | 52 | 28 | 67 |
|----|----|----|----|----|----|----|----|
| 45 | 61 | 94 | 48 | 82 | 66 | 93 | 52 |
| 50 | 55 | 79 | 51 | 75 | 31 | 77 | 96 |

## Apresentação 2

| JANEIRO | | | | | | |
|---|---|---|---|---|---|---|
| Segunda-feira | Terça-feira | Quarta-feira | Quinta-feira | Sexta-feira | Sábado | Domingo |
| 25 | 26 | 27 | 28 | 29 | 30 | 31 |

| a semana | Uma semana tem sete dias. |
| os dias da semana | Os dias da semana são: segunda-feira, terça-feira, quarta-feira, quinta-feira, sexta-feira, sábado e domingo. |
| o fim-de-semana | O fim-de-semana são dois dias: sábado e domingo. |
| o mês | Um mês tem quatro semanas. Os meses são: Janeiro, Fevereiro, Março, Abril, Maio, Junho, Julho, Agosto, Setembro, Outubro, Novembro e Dezembro. |
| o ano | Um ano tem doze meses. |
| hoje | Hoje é segunda-feira, 25 de Janeiro. |
| amanhã | Amanhã é terça. |
| todos os dias | Tomo o pequeno-almoço todos os dias: de segunda a domingo. |

## Oralidade 2 🔲

1. Que dia é hoje?

   _____ .

2. Que dia é amanhã?

   _____ .

3. Quantos são hoje?

   _____ .

4. Quantos são os dias da semana?

   _____ .

5. Quais são os dias do fim-de-semana?

   _____ .

6. Quantas semanas tem um mês?

   _____ .

7. Em que mês estamos?

   _____ .

8. Quantos meses tem um ano?

   _____ .

# Apresentação 3

| Presente do indicativo |
| --- |
| Verbo **haver** |
| forma impessoal: **há** |

## Oralidade 3 🔲

1. **Há** queijo e fiambre no frigorífico.
2. Hoje **há** um bom filme na televisão.
3. Hoje **há** bifes com batatas fritas para o almoço.
4. Amanhã **há** bacalhau no forno para o jantar.
5. — Ainda **há** torradas?
   — Só **há** uma.

# Apresentação 4

| Presente do indicativo | |
| --- | --- |
| Verbos regulares em **-er** | |
| (eu) | aprend**o** |
| (tu) | beb**es** |
| (você, ele, ela) | com**e** |
| (nós) | escrev**emos** |
| (vocês, eles, elas) | viv**em** |

**N.B.:** aquecer → eu aque**ç**o, tu aqueces...

## Oralidade 4 🔲

1. Nós **comemos** pão ao pequeno-almoço: eu **como** pão com manteiga e tu **comes** uma sandes de fiambre.
2. Nós **bebemos** leite ao lanche: eu **bebo** café com leite e tu **bebes** leite com chocolate.
3. Nós **corremos** todos os dias: eu **corro** de manhãzinha e tu **corres** à tardinha.
4. O Steve **escreve** aos pais todas as semanas.
5. Vocês **vivem** em Coimbra.
6. Eles **aprendem** com facilidade.
7. Nós **compreendemos** o exercício.
8. Eu **conheço** o amigo do Miguel, o Steve Harris.
9. Eu **aqueço** o meu leite todas as manhãs.
10. Eu **desço** esta rua todos os dias para apanhar o autocarro.

## Oralidade 5 🔲

1. — Conheces o amigo do Miguel?
   — _____ .É o Steve Harris.
2. — O que é que vocês tomam ao pequeno-almoço?
   — _____ torradas e _____ chá.
3. — E o Steve?
   — _____ ovos com presunto e _____ um copo de sumo de laranja.
4. — Os avós do Miguel vivem em Lisboa?
   — Não, _____ no Rio de Janeiro.
5. — E a tia Celeste?
   — _____ em Faro.
6. — Vocês escrevem normalmente aos vossos avós?
   — Sim, _____ todos os meses.
7. — Aprendes línguas com facilidade, Sofia?
   — _____ .
8. — E o Rui compreende os exercícios todos?
   — Não, não _____ .
9. — Sofia, o que é que bebes ao almoço?
   — _____ sempre água.
10. — E o teu pai?
    — Normalmente _____ vinho.

## Apresentação 5

| Realização prolongada | | |
|---|---|---|
| estar a + infinitivo | | |
| (eu) | estou | |
| (tu) | estás | comer |
| (você, ele, ela) | está | a escrever |
| (nós) | estamos | jogar |
| (vocês, eles, elas) | estão | |

## Oralidade 6 📼

| Exemplo: | A D. Ana prepara o pequeno-almoço todos os dias. |
|---|---|
| | Agora *está a preparar o pequeno-almoço na cozinha*. |

1. Nós estudamos português todos os dias.
   Neste momento _____.

2. O Steve escreve aos pais todas as semanas.
   Agora _____.

3. Eles jogam ténis todos os fins-de-semana.
   Hoje é sábado e _____ no clube.

4. O Sr. Santos bebe café todas as noites.
   Agora _____.

5. Os jogadores treinam todos os dias.
   Neste momento _____ no campo de futebol.

6. O Steve vive nos Estados Unidos, mas
   agora _____ em Portugal.

7. A Sofia fala muitas línguas.
   Neste momento _____ inglês com o Steve.

8. O Rui gosta muito de brincar.
   Agora _____ no quarto dele.

9. Eles andam de bicicleta todas as tardes.
   Agora _____ no parque.

10. Ela corre todos os sábados de manhã.
    Neste momento _____ no Estádio Nacional.

## Texto

Ao domingo a família Santos almoça sempre fora.

Neste momento estão todos juntos no restaurante, sentados à mesa. A D. Ana gosta muito de peixe. Ela está a comer linguado grelhado com batatas cozidas. O Sr. Santos e o Miguel estão a comer arroz de marisco. O Steve está a comer costeletas de vitela com puré de batata. O Rui geralmente come carne, mas hoje está a comer filetes de pescada com arroz de cenoura. A Sofia, como não tem muita fome, está a comer meia dose de febras de porco assadas com salada de alface e tomate. E para beber? Estão todos a beber vinho branco da casa, menos o Rui e a Sofia. Ele está a beber laranjada e ela água mineral sem gás.

# — Vamos lá escrever!

### Compreensão

1. A família Santos almoça em casa ao domingo?

   _____

2. Onde é que eles estão agora?

   _____

3. O que é que a D. Ana está a comer?

   _____

4. Quem é que está a comer arroz de marisco?

   _____

5. O Steve e o Rui estão a comer febras de porco?

   _____

6. Porque é que a Sofia só está a comer meia dose?

   _____

7. O que é que eles estão a beber?

   _____

### Escrita 1

> **Exemplo:** Paulo/estudar/todos os dias/.
> Agora/estudar/quarto dele/.
> *O Paulo estuda todos os dias.*
> *Agora está a estudar no quarto dele.*

1. Rui/beber/leite/ao pequeno-almoço/.
   Agora/beber/copo/leite/frio/.

   _____

   _____

2. D. Ana/preparar/jantar/todos os dias/.
   Agora/preparar/jantar/cozinha/.

   _____

   _____

43

3. Nós/andar/bicicleta/todas as tardes/.
   Neste momento/andar/bicicleta/parque/.

   _____

   _____

4. Miguel/Steve/correr/todos os fins-de-semana/.
   Agora/correr/Estádio Nacional/.

   _____

   _____

5. Sofia/escrever/avós/todos os meses/.
   Neste momento/escrever/carta/.

   _____

   _____

## Escrita 2

Complete com o verbo na forma correcta:

Hoje _____(ser) quarta-feira. O Miguel e o Steve _____(estar) em casa,
porque não _____(ter) aulas à tarde. O Steve _____(estar) a estudar português e o
Miguel está a _____(arranjar) o lanche para eles. Normalmente _____(comer) pão
com queijo ou fiambre e _____(beber) uma chávena de café com leite. Mas hoje o
lanche _____(ser) diferente: também _____(haver) bolo de chocolate!

# Sumário

## Objectivos funcionais

Contar de 21 a 100

Contrastar ⎰ acções habituais
            com
      ⎱ acções a decorrer no presente

«A D. Ana prepara o pequeno-almoço todos os dias.»
«Agora está a preparar o pequeno-almoço na cozinha.»

Descrever acções a decorrer no presente

«O Sr. Santos e o Miguel estão a comer arroz de marisco.»

Identificar ⎰ dia da semana
            mês
           ⎱ data

«Hoje é sábado.»
«Estamos em Janeiro.»
«Hoje são 25 de Janeiro.»

Perguntar por ⎰ dia da semana
              mês
           ⎱ data

«Que dia é hoje?»
«Em que mês estamos?»
«Quantos são hoje?»

Perguntar por
Referir ⎱ existências

«Ainda há torradas?»
«Só há uma.»

# Vocabulário

## Substantivos, adjectivos e numerais:

| | | | |
|---|---|---|---|
| Abril | cozido (adj.) | o leite | o sábado |
| Agosto | a cozinha | o linguado | a salada (de $\left\{\begin{array}{l}\text{alface}\\\text{tomate}\end{array}\right\}$) |
| a água (mineral sem gás) | Dezembro | Maio | |
| | diferente (adj.) | a manhã | a sandes |
| o almoço | o domingo | a manteiga | a segunda-feira |
| o ano | a dose | Março | a semana |
| o arroz (de $\left\{\begin{array}{l}\text{marisco}\\\text{cenoura}\end{array}\right\}$) | o Estádio Nacional | meio (adj.) | sentado (adj.) |
| | o exercício | o momento | sessenta |
| assado (adj.) | a febra (de porco) | Novembro | Setembro |
| o autocarro | Fevereiro | noventa | setenta |
| o bacalhau | o fiambre | oitenta | a sexta-feira |
| a batata | o filete (de pescada) | Outubro | o sumo (de laranja) |
| o bife | o filme | o ovo | a tarde |
| o bolo | o fim-de-semana | o pão | a televisão |
| bom (adj.) | a fome | o parque | a terça-feira |
| o café | o forno | o peixe | a torrada |
| o campo (de futebol) | o frigorífico | o pequeno-almoço | o treino |
| a carne | frio (adj.) | o presunto | trinta |
| a carta | frito (adj.) | pronto (adj.) | trinta e dois |
| cem | grelhado (adj.) | o puré (de batata) | trinta e três |
| o chá | Janeiro | quarenta | trinta e um |
| a chávena | o jantar | quarenta e um | o vinho |
| o chocolate | o jogador | a quarta-feira | vinte e cinco |
| cinquenta | Julho | o queijo | vinte e dois |
| o clube | Junho | a quinta-feira | vinte e quatro |
| Coimbra | junto (adj.) | o restaurante | vinte e três |
| o copo | o lanche | a rua | vinte e um |
| a costeleta (de vitela) | a laranjada | | |

## Expressões:

| | | | |
|---|---|---|---|
| estar $\left\{\begin{array}{l}\text{a pé}\\\text{cheio de fome}\\\text{pronto}\\\text{sentado}\end{array}\right.$ | ter fome | | |

## Verbos:

| | | | |
|---|---|---|---|
| almoçar | arranjar | conhecer | preparar |
| andar (de) | beber | correr | tomar |
| apanhar | brincar | descer | treinar |
| aprender | comer | escrever | viver |
| aquecer | compreender | haver | |

## I · Complete:

1. — _____ se chama?
   — Chamo-me Ana Santos.

2. — _____ meses tem o ano?
   — Tem doze.

3. — _____ são estas canetas?
   — São minhas.

4. — _____ é isto?
   — É um lápis.

5. — _____ cor é a bandeira portuguesa?
   — É verde e encarnada.

6. —_____ é o Steve?
   — É de Boston.

7. —_____ é a profissão do Sr. Santos?
   — É director comercial.

8. —_____ é a Sofia?
   — É irmã do Miguel e do Rui.

9. —_____ é que a família Santos vive?
   — Num apartamento em Lisboa.

10. —_____ são os dias do fim-de-semana?
    — Sábado e domingo.

## II · Complete:

**Exemplo:**
> — O que é isto? (*bola / Rui*)
> — *Isso é uma bola. Essa bola é do Rui*.

1. — O que é isso? (*caneta / professor*)
   — _____ . _____ .

2. — O que é aquilo? (*raqueta / Sofia*)
   — _____ . _____ .

3. — O que é isto? (*dicionários / alunos*)
   — _____ . _____ .

4. — O que é aquilo? (*jornal / Sr. Santos*)
   — _____ . _____ .

5. — O que é isto? (*cadernos / Miguel*)
   — _____ . _____ .

**III · Complete:**

Exemplo:
> — Este lápis é do Sr. Santos?
> — *Sim, é o lápis dele*.

1. — Estas canetas são tuas, Rui?

— _____ , _____ .

2. — Essas raquetas são do Steve e da Sofia?

— _____ , _____ .

3. — Este quarto é teu e do Rui, Miguel?

— _____ , _____ .

4. — Aquelas revistas são minhas, Steve?

— _____ , _____ .

5. — Este dicionário é meu e da Sofia, não é?

— _____ , _____ .

**IV · Complete com:** ser/ter/estar/haver

Boa tarde. O meu nome _____ Steve Harris. _____ um estudante americano, mas não _____ nos Estados Unidos. _____ em Portugal, em casa duma família. A família _____ portuguesa e _____ um apartamento em Lisboa. O Sr. e a Sra. Santos _____ três filhos: o Miguel, a Sofia e o Rui.

Nós _____ amigos e _____ juntos todos os dias. _____ aulas de manhã e à tarde _____ normalmente no clube. Mas hoje, como _____ um bom filme na televisão, _____ em casa.

**V · Complete com preposições (com ou sem artigo):**

1. O Steve é _____ Boston, mas agora está _____ viver _____ Lisboa.

2. Ele anda _____ escola _____ português _____ estrangeiros.

3. A escola dele fica _____ _____ _____ Correios.

4. Toma sempre o pequeno-almoço _____ casa: pão _____ manteiga e um copo _____ leite.

5. Também gosta _____ beber um sumo _____ laranja.

## VI - Descreva as figuras:

1. _____

jogar ténis

2. _____

correr

3. _____

comer

4. _____

andar de bicicleta

5. _____

beber

## VII · Complete:

| Chama-se... | É de... | Então é... | E fala... |
|---|---|---|---|
| Michael Jackson | *Estados Unidos* | *americano* | *inglês* |
| Marlene Dietrich | | | |
| Plácido Domingo | | | |
| Amália Rodrigues | | | |
| Yuri Gagarin | | | |
| Björn Borg | | | |
| Sofia Loren | | | |
| Pelé | | | |
| Baudouin | | | |
| Jacques Delors | | | |
| Kurt Waldheim | | | |

# PASTELARIA

## «Esqueço-me sempre do nome...»

## Áreas gramaticais/Estruturas

Preposições de tempo: | **a, de, em, para**

Conjugação pronominal reflexa: | **sentar-se**

Pronomes pessoais (reflexos): | **me, te, se, nos**
**Colocação do pronome**

Presente do indicativo: | **formas irregulares dos verbos em -er**

---

| | |
|---|---|
| Advérbios: | **cedo, nunca, quase, tarde** |
| Indefinidos: | **alguma, nada, outros, uns** |
| Interjeições: | **ah!** |
| Interrogativos: | **o quê, porquê** |
| Locuções adverbiais: | **à noite, da noite, da tarde, em ponto** |

## Diálogo

Às quatro horas da tarde, no café

*Empregado:* Boa tarde. Que desejam?
*Miguel:* Boa tarde. Queria uma sandes mista e um galão escuro, por favor.
*Steve:* Fazem batidos?
*Empregado:* Fazemos, sim.
*Steve:* Então queria um batido de morango e um... Esqueço-me sempre do nome... Ah! Pastel de nata.
*Paulo:* Eu queria um rissol e uma bica.
*Miguel:* Olha, Paulo. Os rissóis aqui são óptimos.
*Paulo:* Nesse caso, pode trazer dois, se faz favor.
*Sofia:* Têm queques?
*Empregado:* Temos sim e hoje estão muito bons.
*Sofia:* Então quero um queque e um garoto claro.
*Empregado:* Mais alguma coisa?
*Miguel:* Mais nada, obrigado.

Meia hora mais tarde...

*Sofia:* Sabem que horas são? Já é tarde. Vamos embora.
*Paulo:* Ainda temos de pagar.
*Miguel:* Por favor, a conta.

# — Vamos lá falar!

## Apresentação 1

| As horas |
|---|

São quatro horas.

São quatro e vinte.

São quatro e um quarto.

São quatro e meia.

São dez para as cinco.

São um quarto para as cinco.

É quase uma hora.

É uma hora em ponto.

15 minutos = um quarto de hora
30 minutos = meia hora
60 minutos = uma hora

12:00 = meio-dia
24:00 = meia-noite

02:00 = duas (horas) **da manhã**
10:00 = dez (horas) **da manhã**
14:00 = duas (horas) **da tarde**
22:00 = dez (horas) **da noite**

## Oralidade 1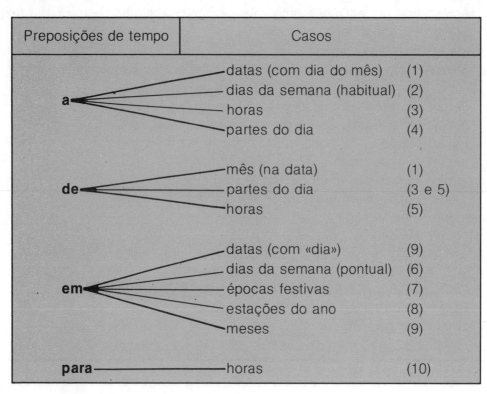

Que horas são?　　10:30　　14:15　　00:30　　11:20　　12:45　　20:15　　01:50　　05:55

　　　　　　　　　13:00　　17:00　　09:05　　12:10　　18:05　　21:25　　03:15　　23:10

## Apresentação 2

| Preposições de tempo | Casos | |
|---|---|---|
| **a** | datas (com dia do mês) | (1) |
| | dias da semana (habitual) | (2) |
| | horas | (3) |
| | partes do dia | (4) |
| **de** | mês (na data) | (1) |
| | partes do dia | (3 e 5) |
| | horas | (5) |
| **em** | datas (com «dia») | (9) |
| | dias da semana (pontual) | (6) |
| | épocas festivas | (7) |
| | estações do ano | (8) |
| | meses | (9) |
| **para** | horas | (10) |

## Oralidade 2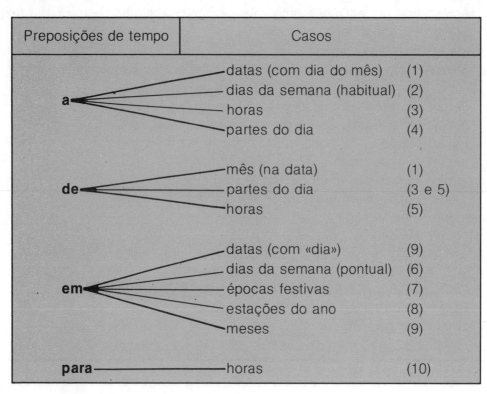

1. O Natal é **a** 25 **de** Dezembro.
2. **Ao(s)** domingo(s) a família Santos almoça sempre fora.
3. Tomamos o pequeno-almoço **às** sete e meia **da** manhã (07:30), almoçamos **à** uma **da** tarde (13:00) e jantamos **às** oito **da** noite (20:00).
4. **À** tarde o Sr. Santos nunca está em casa, mas **à** noite está sempre com a família.
5. **De** manhã estão na escola: têm aulas **das** nove (09:00) **ao** meio-dia (12:00).
6. **Na** sexta-feira têm uma festa em casa do Paulo.
7. **No** Natal e **na** Páscoa os avós do Miguel estão sempre em Portugal.
8. **No** Inverno chove muito.
9. O Miguel e a Sofia têm exames **em** Junho, **no** dia 22 e 23.
10. As aulas da manhã acabam às dez **para** a uma (12:50).

## Oralidade 3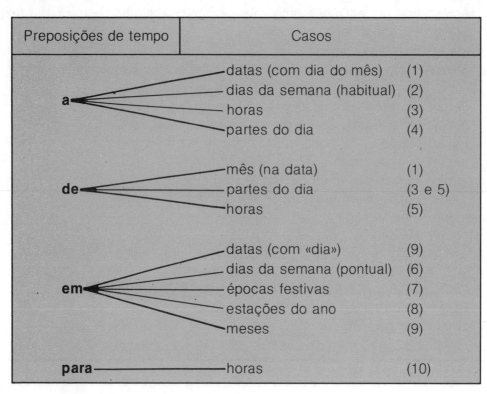

1. _____ sábados, o Miguel e o Steve têm treino, mas _____ próximo sábado não, porque é feriado nacional.

2. — _____ que horas fecham as lojas?
   — Fecham _____ sete _____ tarde. _____ sábados fecham _____ uma _____ tarde e _____ domingo estão sempre fechadas.

3. As aulas começam _____ dia 21 _____ Setembro.

4. _____ Primavera a família Santos passa uma semana de férias no Algarve.

5. _____ dia 24 _____ Dezembro _____ noite ficam em casa e festejam o Natal com toda a família. _____ meia-noite comem bacalhau cozido e depois há presentes para todos.

# Apresentação 3

A

B

| Conjugação pronominal reflexa | |
|---|---|
| (eu) | sento-**me** |
| (tu) | sentas-**te** |
| (você, ele, ela) | senta-**se** |
| (nós) | sentamo̶s-**nos** |
| (vocês, eles, elas) | sentam-**se** |

| Colocação do pronome | | |
|---|---|---|
| Sento- | me | nesta cadeira. |
| Lembras- | te | do Steve? |
| **Também** | me | sento aqui. |
| **Como (é que)** | te | chamas? |
| **Enquanto** | se | lava, canta. |
| **Não/Nunca** | nos | deitamos tarde. |
| **Todos** | se | levantam cedo. |

## Oralidade 4

> **Exemplo:** Como (*chamar-se*) o irmão deles?
> Como *__se chama__* o irmão deles?

1.  O Steve nunca (*lembrar-se*) do nome do bolo.

    _____ .

2.  Eu (*esquecer-se*) sempre de fechar a porta.

    _____ .

3.  Nós (*levantar-se*) sempre cedo, mas também (*deitar-se*) cedo.

    _____ .

4.  Todos (*lembrar-se*) bem da tia Celeste.

    _____ .

5.  Porque não (*sentar-se*) Rui?

    _____ .

## Oralidade 5

1. — Eu levanto-me às 07:00. E tu?
   — Eu também _____ às 07:00.

2. — Como é que se chama a mãe do Miguel?
   — _____ Ana Santos.

3. — Vocês deitam-se muito tarde?
   — Não, _____ sempre cedo.

4. — Lembras-te a que horas é o jogo?
   — Não, não _____ .

5. — Onde é que nos sentamos?
   — Tu _____ aí e eu _____ aqui.

# Apresentação 4

| Presente do indicativo | | |
|---|---|---|
| Verbos em **-er** | formas irregulares | |
| | (eu) | (você/ele/ela) |
| dizer | **digo** | **diz** |
| fazer | **faço** | **faz** |
| perder | **perco** | —— |
| poder | **posso** | —— |
| querer | —— | **quer** |
| saber | **sei** | —— |
| trazer | **trago** | **traz** |

## Oralidade 6

1. — Ó Miguel! O que é que tu dizes para agradecer?
   — Eu _____ «muito obrigado», mas a Sofia _____ «muito obrigada».

2. — Eu e a Sofia fazemos anos em Janeiro: eu _____ anos no dia 10 e ela _____ anos a 25.

3. — Ó Sofia! Podes estar no café às três?
   — Hoje às três não _____ .

4. — O que é que querem no Natal?
   — Eu quero uma mota e o Rui _____ uma bicicleta nova.

5. — Sabes onde está o meu dicionário?
   — Não, não _____ .

6. — O que é que trazem aí, mãe?
   — (Eu) _____ bolinhos para a festa e o teu pai _____ a prenda.

7. — É tarde. Ainda perdes o autocarro.
   — Não, não _____ . A paragem é já aqui.

## Texto

Hoje há festa em casa do Paulo. A irmã dele faz anos e está muito contente. Às cinco da tarde começam a chegar os convidados.

*Cristina:* Parabéns, Teresa. Já sei que tens uma aparelhagem nova.

*João:* Muitos parabéns. Então, quantos anos fazes?

*Teresa:* Vinte. Já estou velha!

*Mãe:* Ora! Ainda és muito nova para dizer isso.

*Miguel:* Parabéns, Teresa. Ainda não conheces o Steve, pois não?

*Steve:* Muito prazer e os meus parabéns.

*Mãe:* Bom, agora que já se conhecem todos podemos passar para o jardim.

Como o tempo está bom, resolvem fazer a festa lá fora. Enquanto a mãe traz as bebidas, a Teresa liga a aparelhagem: uns dançam e outros sentam-se na relva a conversar.

 **— Vamos lá escrever!**

### Compreensão

1. Quem faz anos hoje?

   _____

2. A que horas é que os convidados começam a chegar?

   _____

3. Quantos anos faz a Teresa?

   _____

4. Onde é que eles fazem a festa? Porquê?

   _____

5. Os amigos da Teresa estão de pé ou sentados? A fazer o quê?

   _____

### Escrita 1

|  |  |
|---|---|
| **Exemplo:** | mãe/estar de pé/jardim/. <br> ***A mãe está de pé no jardim.*** |

1. Teresa/estar/contente/porque/hoje/fazer anos/.

   _____

2. ele/trazer/discos/novo/para/festa/.

   _____

3. eles/resolver/fazer/festa/jardim/.

   _____

4. amigos/Teresa/estar sentado/relva/conversar/.

   _____

5. sexta-feira/todos/deitar-se/mais tarde/.

   _____

## Escrita 2

> **Exemplo:** A irmã do Paulo chama-se <u>Teresa</u>.
> *Como se chama a irmã do Paulo?*

1. <u>No dia 12 de Fevereiro</u> o Paulo faz <u>19</u> anos.
               a)                                    b)

   a) _____?
   b) _____?

2. Eles estão sentados <u>no café</u> <u>a lanchar</u>.
                               c)         d)

   c) _____?
   d) _____?

3. O Steve levanta-se <u>às 07:00</u>, <u>porque tem aulas às 08:30</u>.
                                 e)                f)

   e) _____?
   f) _____?

4. <u>O Sr. Santos e a D. Ana</u> têm um carro <u>branco</u>.
                      g)                     h)

   g) _____?
   h) _____?

5. O quarto <u>do Steve</u> é <u>grande</u>.
                  i)         j)

   i) _____?
   j) _____?

---

# Sumário

## Objectivos funcionais

---

| | |
|---|---|
| Chamar a atenção | «Olha, Paulo.» |
| Contrastar «ser» e «estar» | «Os rissóis aqui são óptimos.»<br>«... hoje estão muitos bons.»<br>«Já estou velha!»<br>«Ainda és muito nova...» |
| Expressar desejos | «Queria...»<br>«Quero...» |
| Falar da localização no tempo | «De manhã estão na escola: têm aulas das nove (09:00) ao meio-dia (12:00).» |
| Felicitar | «Parabéns.»<br>«Muitos parabéns.» |

| | |
|---|---|
| Perguntar ⎫ Dizer ⎭ a idade | «Quantos anos fazes?» «(Faço) vinte (anos).» |
| Perguntar o que deseja | «Que deseja?» |
| Reforçar delicadamente a solicitação | «Por favor, ...» «..., por favor.» «..., se faz favor.» |

## Vocabulário

### Substantivos e adjectivos:

| | | | |
|---|---|---|---|
| a aparelhagem | escuro (adj.) | a loja | o pastel de nata |
| o batido (de morango) | a estação (do ano) | a meia-noite | a porta |
| a bebida | o exame | o meio-dia | a prenda |
| a bica | o feriado | o minuto | o presente |
| o caso | as férias | misto (adj.) | a Primavera |
| claro (adj.) | a festa | a mota | próximo (adj.) |
| a coisa | festivo (adj.) | o Natal | o quarto de hora |
| a conta | o galão | novo (adj.) | o queque |
| contente (adj.) | o garoto | óptimo (adj.) | a relva |
| o convidado | a hora | os parabéns | o rissol |
| a data | o Inverno | a paragem | tarde (adj.) |
| o disco | o jardim | a parte | o tempo |
| a época | o jogo | a Páscoa | velho (adj.) |

### Expressões:

| | | | |
|---|---|---|---|
| ... em ponto. | Muitos parabéns. | Por favor... | ... se faz favor. |
| estar de pé | Olha... | Que desejam? | ser tarde |
| fazer anos | Os meus parabéns. | Queria... | Vamos embora. |
| Muito obrigado. | Parabéns. | | |

### Verbos:

| | | | |
|---|---|---|---|
| acabar | dançar | jantar | perder |
| agradecer | deitar-se | lanchar | poder |
| chegar | desejar | lavar-se | querer |
| chover | dizer | lembrar-se (de) | resolver |
| começar (a) | esquecer-se (de) | levantar-se | saber |
| conhecer | fazer | ligar | sentar-se |
| conhecer-se | fechar | pagar | ter de |
| conversar | festejar | passar | trazer |

**«Sei lá! Não consigo decidir-me...»**

UNIDADE 7

## Áreas gramaticais/Estruturas

Cardinais:  | 101 a 1 000 000

Ordinais:  | 1.º a 20.º

Presente do indicativo:  | **verbos regulares em -ir (3.ª conjugação), ver, ler**

Pronomes pessoais complemento indirecto:  | **me, te, lhe**

---

| | |
|---|---|
| Advérbios: | **antes, bastante, raramente, realmente** |
| Conjunções: | **quando, que, se** |
| Indefinidos: | **ambas, nada, nenhum** |
| Interrogativos: | **a quem, quando, quanto** |
| Locuções adverbiais: | **à vontade, ao fundo, ao longe, às vezes, com certeza, por exemplo** |
| Locuções conjuncionais: | **no entanto** |
| Locuções prepositivas: | **ao contrário de** |
| Relativos: | **que** |

## Diálogo

*D. Ana:* Boa tarde. Queria ver camisolas para senhora, por favor.

*Empregada 1:* Tem de se dirigir à Secção de Senhora, no 1.º andar, se não se importa.

*D. Ana:* Muito obrigada.

*Empregada 1:* De nada.

. . . . . . . . . . . . . . .

*Empregada 2:* Faz favor de dizer, minha senhora.

*D. Ana:* Pode mostrar-me essas camisolas, por favor?

*Empregada 2:* Com certeza. O seu tamanho deve ser o médio.

*D. Ana:* Hum! Gosto bastante deste modelo. Tem noutras cores?

*Empregada 2:* Há também em tons de azul e castanho. Abro já para a senhora ver.

*D. Ana:* Acho que é melhor experimentar as duas.

*Empregada 2:* À vontade. O gabinete de provas é ali ao fundo.

. . . . . . . . . . . . . . .

*Empregada 2:* Então, de qual gosta mais? Ficam-lhe muito bem as duas.

*D. Ana:* Sei lá! Não consigo decidir-me... Bom. Acho que prefiro esta. Qual é o preço?

*Empregada 2:* Cinco contos e quinhentos. Aqui tem o talão. Pode pagar na caixa e levantar lá o embrulho. Muito obrigada e boa tarde.

*D. Ana:* Boa tarde e obrigada.

 — # Vamos lá falar!

## Apresentação 1

A

| Cardinais | | | |
|---|---|---|---|
| 101 — **cento e um** | | 1000 | — **mil** |
| 102 — **cento e dois** | | 1001 | — **mil e um** |
| ... | | ... | |
| 200 — **duzentos** | | 2000 | — **dois mil** |
| 201 — **duzentos e um** | | 2001 | — **dois mil e um** |
| ... | | ... | |
| 300 — **trezentos** | | 3000 | — **três mil** |
| 400 — **quatrocentos** | | 4000 | — **quatro mil** |
| 500 — **quinhentos** | | ... | |
| 600 — **seiscentos** | | | |
| 700 — **setecentos** | | 1 000 000 — **um milhão** | |
| 800 — **oitocentos** | | | |
| 900 — **novecentos** | | | |

| Dinheiro | |
|---|---|
| Moedas | Notas |

**50$00**
cinquenta escudos

**25$00**
vinte e cinco escudos

**20$00**
vinte escudos

**10$00**
dez escudos

**5$00**
cinco escudos

**2$50**
dois escudos e cinquenta centavos =
= dois e quinhentos =
= vinte e cinco tostões

**1$00**
um escudo = dez tostões

**5000$00**
cinco mil escudos =
= cinco contos

**1000$00**
mil escudos =
= um conto

**500$00**
quinhentos escudos

**100$00**
cem escudos

# Oralidade 1

1.

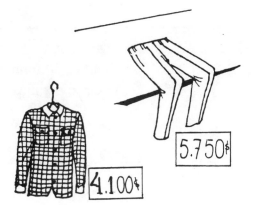

Qual é o preço das calças?

_____ .

E da camisa aos quadrados?

_____ .

2.

Quanto é?

_____ .

3.

Qual é o preço do vestido?

_____ .

4.

Qual é o preço dos ténis?

_____ .

E das meias?

_____ .

5.

Qual é o preço da saia às riscas?

_____ .

E do casaco?

_____ .

6.

Quanto custa um selo para a Europa?

_____ .

## Apresentação 2

| Ordinais | | |
|---|---|---|
| 1.º — **primeiro** | 6.º — **sexto** | 11.º — **décimo primeiro** |
| 2.º — **segundo** | 7.º — **sétimo** | 12.º — **décimo segundo** |
| 3.º — **terceiro** | 8.º — **oitavo** | |
| 4.º — **quarto** | 9.º — **nono** | |
| 5.º — **quinto** | 10.º — **décimo** | 20.º — **vigésimo** |

## Oralidade 2 🔲

1. Novembro é o **11.º** mês e Dezembro é o **12.º** mês do ano.

2. O edifício dos Correios tem vinte andares: do **17.º** ao **20.º** são os Serviços Administrativos.

3. Nós moramos no **5.º** andar dum prédio antigo e o Paulo mora no **9.º** dum prédio novo.

4. Qual é a **2.ª** refeição do dia?

5. O Sr. Santos faz férias nas **1.ªs** três semanas de Agosto.

## Apresentação 3

| Presente do indicativo | |
|---|---|
| Verbos regulares em **-ir** | |
| (eu) | abr**o** |
| (tu) | decid**es** |
| (você, ele, ela) | divid**e** |
| (nós) | part**imos** |
| (vocês, eles, elas) | prefer**em** |

**N.B.:** conseguir → eu cons**ig**o, tu consegues...
dirigir-se → eu diri**j**o-me, tu diriges-te...
preferir → eu pref**i**ro, tu preferes...

## Oralidade 3 🔲

1. — Quando é que vocês abrem as prendas?
   — _____ já.

2. — Qual é que preferes? A azul ou a castanha?
   — _____ a castanha.

3. — Ó Steve, quando é que partes para os E.U.A.?

— _____ no fim do mês, mas os meus pais _____ antes.

4. — Consegues estudar com barulho?

— Não, não _____ .

5. — Já não vestes esta camisa, Miguel?

— Não, já não _____ .

6. — Não despes o casaco, Steve?

— Claro! _____ já.

7. — Então, vocês não se servem do doce?

— _____ já.

8. — Porque é que não decidem agora?

— Agora, não. _____ mais tarde.

9. — Vocês ainda partem o vidro com a bola!

— Não _____ nada!

10. — Tens de dividir o bolo com os teus irmãos, Rui.

— Está bem. _____ em três.

# Apresentação 4

| Presente do indicativo | | |
|---|---|---|
| Verbos | **ver** / | **ler** |
| (eu) | **vejo** | **leio** |
| (tu) | **vês** | **lês** |
| (você, ele, ela) | **vê** | **lê** |
| (nós) | **vemos** | **lemos** |
| (vocês, eles, elas) | **vêem** | **lêem** |

### Oralidade 4 🔲

1. Eu vejo
2. Tu vês
3. Você vê
4. Ele vê
5. Ela vê
6. Nós vemos
7. Vocês vêem
8. Eles vêem
9. Elas vêem

### Oralidade 5 🔲

1. Eu leio
2. Tu lês
3. Você lê
4. Ele lê
5. Ela lê
6. Nós lemos
7. Vocês lêem
8. Eles lêem
9. Elas lêem

### Oralidade 6 🔲

1. — Vocês _____ televisão?

— Eu _____, mas o meu marido normalmente não _____ .

2. — E _____ o jornal?

— Eu raramente _____, mas o Sr. Santos _____ sempre um vespertino quando chega a casa.

3. — _____ bem as legendas, Steve?

— _____, mas às vezes não percebo.

4. — O senhor _____ bem ao longe?

— Sim, _____ muito bem.

5. — Quem é que _____ esta revista?

— _____ eles. Eu nunca _____, não tem interesse nenhum.

# Apresentação 5

| | Pronomes pessoais |
|---|---|
| | complemento indirecto |
| (eu) | **me** |
| (tu) | **te** |
| (você)<br>(o senhor)<br>(a senhora)<br>(ele)<br>(ela) | **lhe** |

## Oralidade 7

1. — Gosto muito da sua camisola nova, mãe. Fica-_____ muito bem.
   — Também acho. Este tom fica-_____ bem.

2. — O que é que _____ apetece fazer, Steve?
   — Apetece-_____ beber uma coisa fresca.

3. — A quem é que estás a escrever?
   — À minha irmã. Escrevo-_____ todos os meses.

4. — Pode dizer-_____ quanto custa esse vestido, por favor?
   — Só um momento. Digo-_____ já.

5. — Posso fazer-_____ uma pergunta, Sr. Santos?
   — Com certeza!

## Texto

A D. Ana gosta de seguir a moda. Não o último grito da moda — esse é mais apropriado para os jovens, como a Sofia, por exemplo — mas digamos que gosta de se vestir bem. Para isso, compra todos os meses revistas que lê e vê atentamente. É o que está a fazer neste momento com uma amiga.

*D. Rosa:* O que é que achas deste vestido, Ana?

*D. Ana:* Hum! Não sei. Não é muito o meu género. Parece-me que prefiro esse: é mais simples e mais prático.

*D. Rosa:* Realmente é. E estas calças?... Não. Acho que não me ficam bem. São muito largas e eu agora estou mais gorda.

*D. Ana:* Olha esta saia! Esta sim: é bonita, moderna e fica-me bem, com certeza.

A D. Ana é uma mulher alta, magra e loura, ao contrário da amiga que é mais baixa, um pouco mais forte e morena. No entanto, ambas se interessam por roupa e gostam de trocar impressões.

##  — Vamos lá escrever!

### Compreensão

1. Quem é que gosta de seguir a moda? Porquê?

_____

2. Com quem é que a D. Ana está a ver a revista?

_____

3. De que é que estão a falar?

_____

4. Que género de roupa é que a D. Ana prefere?

_____

5. Como é a D. Ana? E a amiga?

_____

### Escrita 1

1.

*O Miguel está sentado numa cadeira. Ele está vestido com uma camisa branca, calças de ganga azuis e tem sapatos pretos. O Miguel é alto, magro e louro.*

2.

_____

_____

_____

_____

_____

3.

4.

5.

# Sumário

## Objectivos funcionais

Contar de 101 a 1 000 000

Expressar {agrado — «Gosto bastante deste modelo.»

desagrado — «Não é muito o meu género.»

Expressar indecisão — «Sei lá! Não consigo decidir-me...»

Expressar preferência — «Acho que prefiro esta.»

Oferecer ajuda — «Faz favor de dizer, minha senhora.»

Indicar a ordem numérica — «Qual é a 2.ª refeição do dia?»

Pedir / Fazer } a descrição física — «Como é a D. Ana?»
— «A D. Ana é uma mulher alta, magra e loura...»

Pedir / Dar } a opinião — «O que é que achas deste vestido, Ana?»
— «Fica-lhe muito bem.»
— «Acho que não me ficam bem.»

Perguntar ⎞
⎬ o preço
Dizer ⎠
— «Qual é o preço das calças?»
— «Quanto é?»
— «Quanto custa um selo...?»
— «São 5.750$00.»
— «Custa 60$00.»

Responder a um agradecimento — «De nada.»

# Vocabulário

## Substantivos, adjectivos e numerais:

| | | | |
|---|---|---|---|
| alto (adj.) | o edifício | moderno (adj.) | segundo (2.º) |
| o andar | o embrulho | moreno (adj.) | seiscentos |
| antigo (adj.) | o escudo | a mulher | o selo |
| apropriado (adj.) | a Europa | nono (9.º) | o serviço |
| baixo (adj.) | o fim | novecentos | (administrativo) |
| o barulho | forte (adj.) | oitavo (8.º) | setecentos |
| bonito (adj.) | fresco (adj.) | oitocentos | sétimo (7.º) |
| a caixa | o gabinete (de provas) | a pergunta | sexto (6.º) |
| as calças (de ganga) | o género | prático (adj.) | simples (adj.) |
| a camisa | gordo (adj.) | o preço | o talão |
| a camisola | o grito | o prédio | o tamanho |
| o casaco | a impressão | primeiro (1.º) | os ténis |
| o centavo | o interesse | o quadrado | terceiro (3.º) |
| cento e dois | o jovem | quarto (4.º) | o tom |
| cento e um | a legenda | quatro mil | o tostão |
| o conto | louro (adj.) | quatrocentos | o total |
| décimo (10.º) | magro (adj.) | quinhentos | três mil |
| décimo primeiro (11.º) | médio (adj.) | quinto (5.º) | trezentos |
| décimo segundo (12.º) | as meias | a refeição | último (adj.) |
| o doce | mil | a risca | o vespertino |
| dois mil | mil e um | a roupa | o vestido |
| dois mil e um | o milhão | a saia | vestido (adj.) |
| duzentos | a moda | o sapato | vigésimo (20.º) |
| duzentos e um | o modelo | a secção | o vidro |

## Expressões:

| | | | |
|---|---|---|---|
| À vontade. | É melhor. | fazer { favor (de) férias uma pergunta | o último grito |
| Com certeza. | Está bem. | | Sei lá! |
| De nada. | estar vestido | | trocar impressões |
| ...digamos... | | | |

## Verbos:

| | | | |
|---|---|---|---|
| abrir | decidir-se | interessar-se (por) | preferir |
| achar (de) | despir | ler | seguir |
| apetecer | dever | levantar | servir-se (de) |
| comprar | dirigir-se (a) | mostrar | trocar |
| conseguir | dividir | parecer | ver |
| custar | experimentar | partir | vestir |
| decidir | importar-se (de) | perceber | vestir-se |

«... o filme já vai começar.»

## Áreas gramaticais/Estruturas

Presente do indicativo: | **ir, vir, formas irregulares dos verbos em -ir, verbos em -air**

Conjugação perifrástica: | **ir + infinitivo**

Graus dos adjectivos e advérbios: | **comparativo de superioridade, superlativo absoluto sintético**

---

| | |
|---|---|
| Advérbios: | **assim, cá, completamente, depois, depressa, especialmente, logo, mesmo, primeiro** |
| Conjunções: | **portanto** |
| Indefinidos: | **alguns, imensa, muita, outra(s), outro, tudo** |
| Interjeições: | **ufa!** |
| Interrogativos: | **aonde** |
| Locuções conjuncionais: | **mais... do que** |
| Locuções prepositivas: | **depois de** |
| Preposições: | **até, por** |

# Diálogo

Steve: E agora? Como é que eu saio daqui?
Desculpe. Podia dizer-me onde fica o Cinema Império, por favor? Estou completamente perdido.

Transeunte: Olhe, vai até ao fim desta rua e corta à esquerda. Depois vai sempre em frente, pelo passeio do lado direito e vê logo o Cinema Império, mesmo ao lado duma pastelaria.

. . . . . . . . . . . . . . .

Paulo: O Steve nunca mais vem! Estou farto de esperar.
Miguel: Olha o Steve! E vem a correr. Coitado! Até que enfim, Steve!
Steve: Ufa! Estou cansadíssimo. Peço imensa desculpa, mas perco-me sempre em Lisboa.
Sofia: Não faz mal. Vamos mas é entrar, que o filme já vai começar.
Miguel: Vamos! Só faltam três minutos.

 — **Vamos lá falar!**

## Apresentação 1

A

| Presente do indicativo | |
|---|---|
| Verbo **ir** | |
| (eu) | **vou** |
| (tu) | **vais** |
| (você, ele, ela) | **vai** |
| (nós) | **vamos** |
| (vocês, eles, elas) | **vão** |

B

| Presente do indicativo | |
|---|---|
| Verbo **vir** | |
| (eu) | **venho** |
| (tu) | **vens** |
| (você, ele, ela) | **vem** |
| (nós) | **vimos** |
| (vocês, eles, elas) | **vêm** |

### Oralidade 1

1. Eu vou
2. Tu vais
3. Você vai
4. Ele vai
5. Ela vai
6. Nós vamos
7. Vocês vão
8. Eles vão
9. Elas vão

### Oralidade 2

1. Eu venho
2. Tu vens
3. Você vem
4. Ele vem
5. Ela vem
6. Nós vimos
7. Vocês vêm
8. Eles vêm
9. Elas vêm

### Oralidade 3 

1. Os pais dele _____(vir) cá no próximo mês. Ficam quinze dias e depois _____(ir) outra vez para os E.U.A..

2. — A que horas _____(vir) da escola, Rui?
   — _____(vir) à uma hora e depois _____(ir) para o treino.

3. — Os tios _____(vir) cá no Natal?
   — A tia Celeste e os miúdos _____(vir), mas o tio Fernando não _____(vir): _____(ir) para Paris nessa altura.

4.   — Mãe, nós _____(*ir*) ao cinema e portanto _____(*vir*) mais tarde para casa.
     — Está bem.

5.   — Ó Steve! Também _____(*vir*) ao concerto?
     — Claro que _____(*ir*).
     — Então _____(*ir*) todos juntos.

## Apresentação 2

A

| Presente do indicativo | |
|---|---|
| Verbos em **-ir** | formas irregulares |
| | (eu) |
| dormir. | **durmo** |
| ouvir | **ouço/oiço** |
| pedir | **peço** |

B

| Presente do indicativo | | |
|---|---|---|
| Verbos em **-air** | | |
| (eu) | | **-io** |
| (tu) | | **-is** |
| (você, ele, ela) | ca(X) sa(X) | **-i** |
| (nós) | | **-ímos** |
| (vocês, eles, elas) | | **-em** |

## Oralidade 4

1.   — Então, Steve? Já é tardíssimo.
     — _____ imensa desculpa pelo atraso.

2.   — Dormes bem no teu quarto novo?
     — _____ como uma pedra. Nunca _____ barulho nenhum.

3.   — Nós ouvimos o noticiário todas as manhãs. E tu?
     — Eu não. Eu _____ música.

4.   — Cuidado! Vocês ainda _____ daí.
     — Não _____ nada.

5.   — Saem hoje à noite?
     — Eu _____, mas a Sofia não _____, porque tem de estudar.

## Apresentação 3

| Futuro próximo | | |
|---|---|---|
| ir + infinitivo | | |
| (eu) | vou | |
| (tu) | vais | começar |
| (você, ele, ela) | vai | partir |
| (nós) | vamos | ter |
| (vocês, eles, elas) | vão | |

## Oralidade 5

| Exemplo: | Vocês/fazer/logo à noite<br>jantar fora |
|---|---|
| | — *O que é que vocês vão fazer logo à noite*?<br>— *Vamos jantar fora*. |

1.  Rui/fazer/depois das aulas     — _____ ?
    treinar     — _____ .
2.  Tu/fazer/logo à tarde     — _____ ?
    estudar português     — _____ .
3.  Nós/fazer/depois do almoço     — _____ ?
    fazer compras     — _____ .
4.  O senhor/fazer/amanhã de manhã     — _____ ?
    lavar o carro     — _____ .
5.  A senhora/fazer/hoje à noite     — _____ ?
    ver televisão     — _____ .

# Apresentação 4

### Graus dos adjectivos e advérbios

**A**

| Normal | Comparativo de superioridade | | |
|---|---|---|---|
| alto<br>cedo<br>depressa<br>gordo<br>pequeno | **mais** | alto<br>cedo<br>depressa<br>gordo<br>pequeno | **(do que**...) |
| bom<br>grande<br>mau | **melhor**<br>**maior**<br>**pior** | | |

**B**

| Normal | Superlativo absoluto sintético |
|---|---|
| cansad~~o~~<br>car~~o~~<br>ced~~o~~<br>tard~~e~~<br>trist~~e~~ | + -**íssimo** |
| bom<br>mau | **óptimo**<br>**péssimo** |

**N.B.:** difícil → **dificílimo**; fácil → **facílimo**.

## Oralidade 6

| Exemplo: | O mês de Novembro é mais frio do que o mês de Junho.<br>O mês de Junho *é mais quente do que o mês de Novembro*. |
|---|---|

1.  A D. Ana é mais magra do que a D. Rosa.
    A D. Rosa _____ .

2.   A caixa azul é mais pequena do que a caixa preta.
     A caixa preta_____.
3.   O filme é pior do que o romance.
     O romance_____.
4.   O Miguel é mais alto do que a Sofia.
     A Sofia _____.
5.   Às 2.ᵃˢ feiras as aulas começam mais tarde do que às 6.ᵃˢ feiras
     Às 6.ᵃˢ feiras _____.

## Oralidade 7 🔲

| Exemplo: | livro/caro//barato |
|---|---|
| | *Este livro é caríssimo. Não tem outro mais barato?* |

1.   pasta/velho//novo        _____ .   _____?
2.   meias/curto//comprido _____ .   _____?
3.   carne/duro//tenro        _____ .   _____?
4.   sala/escuro//claro        _____ .   _____?
5.   mala/pesado//leve        _____ .   _____?
6.   cigarros/forte//suave  _____ .   _____?
7.   texto/difícil//fácil        _____ .   _____?

## Apresentação 5

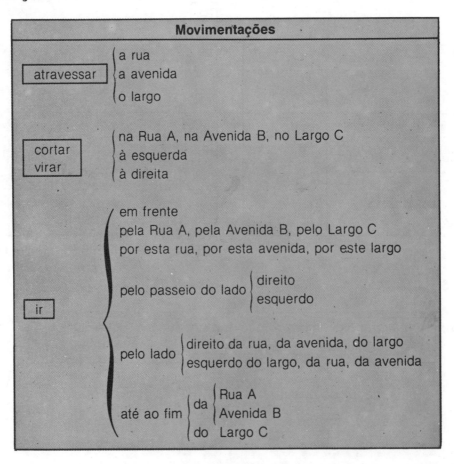

Movimentações

atravessar
{ a rua
  a avenida
  o largo

cortar
virar
{ na Rua A, na Avenida B, no Largo C
  à esquerda
  à direita

ir
{ em frente
  pela Rua A, pela Avenida B, pelo Largo C
  por esta rua, por esta avenida, por este largo

  pelo passeio do lado { direito
                         esquerdo

  pelo lado { direito da rua, da avenida, do largo
              esquerdo do largo, da rua, da avenida

  até ao fim { da { Rua A
                    Avenida B
               do  Largo C

# Oralidade 8 📼

A      Você está no Campo Pequeno, em frente da Praça de Touros, e quer ir para a Fundação Gulbenkian. Vai pedir informações a um transeunte.

*Você:* _____ ?

*Transeunte:* _____
_____
_____

*Você:* _____ .

*Transeunte:* _____ .

B      Agora você está na Av. João XXI e quer ir para a Praça do Saldanha. Como não sabe onde é, pergunta a um polícia.

*Você:* _____ . _____
_____ ?

*Polícia:* _____ . _____
_____
_____ .

*Você:* _____ .

*Polícia:* _____ .

C      Hoje você quer ir para a Av. E.U.A.. Está na Praça de Londres e está completamente perdido. Por isso pergunta o caminho a um transeunte.

*Você:* _____ . _____ ?
_____ .

*Transeunte:* _____ . _____
_____ .

*Você:* _____ .

*Transeunte:* _____ .

## Texto

O Miguel e a Sofia estão a fazer planos para o fim-de-semana. Eles querem mostrar alguns locais de interesse ao Steve.

*Steve:* Então aonde é que vamos amanhã?

*Miguel:* Eu e a Sofia vamos levar-te a Sintra.

*Steve:* Como é que vamos?

*Miguel:* Vamos de carro. Vou pedir o carro emprestado ao meu pai e vamos de manhã, bem cedinho.

*Sofia:* Óptimo! Assim podemos almoçar lá e depois do almoço vamos dar uma volta pelo Guincho até Cascais. O que é que acham do programa?

Todos concordam com a ideia da Sofia, especialmente o Steve que está desejoso de conhecer sítios novos e este passeio vem mesmo a calhar.

No domingo, decidem ir à Costa da Caparica e passar lá o dia. Desta vez, convidam também o Paulo e a irmã.

# — Vamos lá escrever!

## Compreensão

1. O que é que o Miguel e a Sofia estão a fazer? Porquê?

   _____

2. Aonde é que eles vão no sábado?

   _____

3. Como é que eles vão para Sintra?

   _____

4. O que é que vão fazer no domingo?

   _____

5. Quem é que vai com eles?

   _____

## Escrita 1

Complete com:

> *achar, almoçar, chegar, conhecer, decidir, estar, ir (4×), levar, ouvir, sair, ser (2×), ver.*

O Miguel e a Sofia vão _____ o Steve a Sintra. Como o Steve ainda não _____ a vila, _____ que é uma óptima ideia.

No sábado de manhã _____ cedo de casa e _____ a Sintra pelas dez horas. _____ primeiro tomar um café e comer as famosas queijadinhas. Depois, _____ ir ao castelo. _____ a pé até lá, porque a paisagem _____ realmente bonita. O Steve _____ tudo com muita atenção e _____ as histórias que o Miguel lhe conta.

_____ quase uma hora e já _____ todos cheios de fome. _____ a um pequeno restaurante e _____ lá.

À tarde _____ visitar outros locais.

# Sumário

## Objectivos funcionais

| | |
|---|---|
| Avisar alguém | «Cuidado!» |
| Dar ênfase | «Vamos mas é entrar...» |
| Expressar impaciência | «Estou farto de esperar.» |
| | |
| Expressar pena | «Coitado!» |
| Expressar satisfação | «Óptimo!» |
| Fazer comparações | «O Miguel é mais alto do que a Sofia.» |
| | «Este livro é caríssimo. Não tem outro mais barato?» |
| | |
| Fazer planos | «Vamos dar uma volta pelo Guincho...» |
| Pedir ⎱ desculpas<br>Aceitar ⎰ | «Peço imensa desculpa pelo atraso...»<br>«Não faz mal.» |
| Perguntar ⎱ onde fica<br>Dizer ⎰ | «Podia dizer-me onde fica o Cinema Império, por favor?»<br>«Olhe, vai até ao fim desta rua e corta à esquerda.» |

## Vocabulário

### Substantivos e adjectivos:

| | | | |
|---|---|---|---|
| a altura | a Costa da Caparica | leve (adj.) | ⎧ de Londres |
| a atenção | curto (adj.) | o local | a Praça ⎨ de Touros |
| o atraso | desejoso (adj.) | maior (adj.) | ⎩ do Saldanha |
| a avenida | difícil (adj.) | a mala | o programa |
| a Av. E.U.A. | a direita | mau (adj.) | a queijadinha |
| a Av. João XXI | direito (adj.) | melhor (adj.) | quente (adj.) |
| barato (adj.) | duro (adj.) | o miúdo | o romance |
| a caixa | a esquerda | a música | a rua |
| o caminho | esquerdo (adj.) | o noticiário | Sintra |
| o Campo Pequeno | fácil (adj.) | a paisagem | o sítio |
| cansado (adj.) | famoso (adj.) | Paris | a situação |
| caro (adj.) | farto (adj.) | o passeio | suave (adj.) |
| Cascais | a Fundação Gulben- | a pastelaria | tenro (adj.) |
| o castelo | kian | a pedra | o texto |
| o cigarro | o Guincho | perdido (adj.) | o transeunte |
| o cinema | a história | pesado (adj.) | triste (adj.) |
| coitado (adj.) | a ideia | péssimo (adj.) | a vez |
| as compras | a informação | pior (adj.) | a vila |
| comprido (adj.) | o lado | o plano | a volta |
| o concerto | o largo | o polícia | |

## Expressões:

| | | | |
|---|---|---|---|
| a pé | dormir como uma pedra | logo à tarde | pedir { desculpa / emprestado |
| Até que enfim! | estar { desejoso (de) / farto (de) / perdido | ... mas é ... | Podia... |
| Coitado! | | Não faz mal. | vir a calhar |
| Cuidado! | | Olhe, ... | |
| dar uma volta (por) | fazer compras | Óptimo! | |

## Verbos:

| | | | |
|---|---|---|---|
| atravessar | cortar | ir | perguntar |
| cair | dormir | lavar | sair |
| concordar (com) | entrar | ouvir | vir |
| contar | esperar | pedir | virar |
| convidar | faltar | perder-se | visitar |

# «Vê lá em cima da mesa da cozinha.»

## Áreas gramaticais/Estruturas

Presente do indicativo: | **dar, pôr**

Indefinidos variáveis: | **algum, alguma(s), alguns, nenhum, nenhuma(s), nenhuns, muito(s), muita(s), pouco(s), pouca(s), todo(s), toda(s), outro(s), outra(s)**

Indefinidos invariáveis: | **alguém, ninguém, tudo, nada**

Advérbios: | **ainda, já**

Imperativo (afirmativo): | **verbos regulares**

---

Interjeições: | **pronto!**

Locuções adverbiais: | **em seguida**

Locuções prepositivas: | **junto a**

## Diálogo

*Mãe:* Vá lá Sofia, despacha-te!

*Sofia:* Espere aí, mãe! Não encontro a lista das compras.

*Mãe:* Nunca sabes onde pões as coisas... Vê lá em cima da mesa da cozinha.

*Sofia:* Pronto! Está aqui tudo. Onde é que vamos primeiro?

*Mãe:* Precisamos de ir à praça comprar peixe, legumes e fruta.

*Sofia:* Também é preciso ir ao talho, porque já não há carne nenhuma.

*Mãe:* Bom, ainda há bifes, mas só dão para uma refeição.

*Sofia:* Temos de ir à padaria e à mercearia?

*Mãe:* Vamos antes ao supermercado e fazemos lá o resto das compras.

 # — Vamos lá falar!

## Apresentação 1

A

| Presente do indicativo | |
|---|---|
| Verbo **dar** | |
| (eu) | **dou** |
| (tu) | **dás** |
| (você, ele, ela) | **dá** |
| (nós) | **damos** |
| (vocês, eles, elas) | **dão** |

B

| Presente do indicativo | |
|---|---|
| Verbo **pôr** | |
| (eu) | **ponho** |
| (tu) | **pões** |
| (você, ele, ela) | **põe** |
| (nós) | **pomos** |
| (vocês, eles, elas) | **põem** |

### Oralidade 1

1. Eu dou
2. Tu dás
3. Você dá
4. Ele dá
5. Ela dá
6. Nós damos
7. Vocês dão
8. Eles dão
9. Elas dão

### Oralidade 2

1. Eu ponho
2. Tu pões
3. Você põe
4. Ele põe
5. Ela põe
6. Nós pomos
7. Vocês põem
8. Eles põem
9. Elas põem

### Oralidade 3

1. A D. Ana _____ a mesa para o pequeno-almoço. (*pôr*)
2. Eles _____ uma festa no sábado para festejar os anos da Sofia. (*dar*)
3. Onde é que eu _____ as compras? (*pôr*)
4. O Steve já não _____ muitos erros em português. (*dar*)
5. Porque é que vocês não _____ os sacos no chão? (*pôr*)
6. Sou professora e _____ aulas numa escola de línguas. (*dar*)

# Apresentação 2

A

| Indefinidos variáveis | | | |
|---|---|---|---|
| singular | | plural | |
| masculino | feminino | masculino | feminino |
| **algum** | **alguma** | **alguns** | **algumas** |
| **nenhum** | **nenhuma** | **nenhuns** | **nenhumas** |
| **muito** | **muita** | **muitos** | **muitas** |
| **pouco** | **pouca** | **poucos** | **poucas** |
| **todo** | **toda** | **todos** | **todas** |
| **outro** | **outra** | **outros** | **outras** |

(pessoas ou coisas)

B

| | Indefinidos invariáveis | |
|---|---|---|
| pessoas | **alguém** | **ninguém** |
| coisas | **tudo** | **nada** |

## Oralidade 4 🔲

1. Na biblioteca da escola há **muitos** livros. Estão lá sempre **muitos** alunos a estudar.

2. Vou ao supermercado, porque há **pouco** leite. A esta hora há lá **pouca** gente a fazer compras.

3. Não gosto deste livro. Vou ler **outro**.

4. Não há **outra** pessoa para fazer este trabalho?

5. — Há **algum** exercício para corrigir?
— Não, não há **nenhum**.

6. — Tens **algum** amigo no Canadá, Steve?
— Não, não tenho lá **nenhum** amigo.

7. A D. Ana vai à praça **todas** as semanas.

8. **Toda** a família se reúne no Natal em casa da avó.

9. — Está **alguém** no escritório?
— Não. À noite não está lá **ninguém**.

10. — Não fazes **nada**, Rui! Tenho de fazer sempre **tudo** sozinha.

## Oralidade 5 🔲

1. O Jorge tem pouco dinheiro, mas o pai dele tem _____ .

2.  — Sabes se está alguém em casa?
    — Acho que não está lá _____ .

3.  — Tens aí as compras todas?
    — Sim, está aqui _____ neste saco.

4.  — Consegues ver alguma coisa daí?
    — Não, não vejo _____ .

5.  Esta camisola fica-me grande. Não tem _____ mais pequena?

## Apresentação 3

| Pergunta | Resposta | |
|---|---|---|
| | afirmativa | negativa |
| **Ainda** há pão? | Sim, **ainda** há algum. | Não, **já** não há nenhum. |
| **Já** falas bem português? | Sim, **já** falo alguma coisa. | Não, **ainda** não falo muito bem. |
| **Já** não há fruta? | Sim, **ainda** há alguma. | Não, **já** não há nenhuma. |

## Oralidade 6

**Exemplo:** — Ainda há leite no frigorífico?
— Não, *já* não há nenhum.

1. — Ainda está alguém na casa de banho?
   — Não, _____ não está lá ninguém.

2. — Já consegues ler as legendas todas?
   — Sim, _____ consigo ler tudo.

3. — Já sabes bem a lição?
   — Não, _____ não sei muito bem.

4. — Ainda há maçãs?
   — Não, _____ não há nenhumas.

5. — Já não temos café?
   — Sim, _____ temos algum.

6. — Ainda há bananas?
   — Sim, _____ há algumas.

## Apresentação 4

A

| Presente do indicativo | Imperativo (afirmativo) | | |
|---|---|---|---|
| | Verbos em **-ar** | | |
| | singular | | plural |
| | formal | informal | formal e informal |
| (eu) falo | Fal**e**! | | Fal**em**! |
| (ele) fala | | Fala! | |

B

| Presente do indicativo | Imperativo (afirmativo) | | |
|---|---|---|---|
| | Verbos em **-er** e **-ir** | | |
| | singular | | plural |
| | formal | informal | formal e informal |
| (eu) comⱥ | Coma! | | Comam!<br>Abram! |
| abrⱥ | Abra! | | |
| (ele) come | | Come! | |
| abre | | Abre! | |

## Oralidade 7 🔲

**Exemplo:** — Está aqui muito calor:
abrir/janela

— *Abre a janela*.

1. — Estamos cheios de sede.
 beber/sumo de laranja

— _____.

2. — Tenho frio.
 vestir/casaco, mãe

— _____.

3. — Estou cheia de fome.
 comer/fatia de bolo, Sofia

— _____.

4. — Precisa de ajuda, mãe?
 pôr/mesa, se fazes favor

— _____.

5. — Onde ficam os Correios, por favor?
 seguir/em frente/e/virar/à esquerda

— _____.

6. — Posso falar-lhe?
 entrar/e/fechar/porta, por favor

— _____.

7. — Sabes onde está o meu jornal, Rui?
 ver/sala, pai

— _____.

8. — Qual é o trabalho de casa?
 fazer/exercícios/página 55

— _____.

9. — Vamos experimentar o vídeo novo.
    ler/primeiro/instruções

— _____ .

10. — Vou à rua. Quer alguma coisa?
    trazer/pacote de café, se não te importas

— _____ .

## Texto

A Sofia e a mãe estão na praça, junto à banca do peixe.

*Peixeira:* Ó freguesa, olhe para esta maravilha de pescada!

*D. Ana:* A como é o quilo?

*Peixeira:* A 950$00, mas é muito branquinha.

*D. Ana:* Então veja lá quanto pesa essa aí.

*Peixeira:* Tem 1,200 kg. Vai inteira ou corto para cozer?

*D. Ana:* Para cozer, mas em postas pequenas. Quanto é?

*Peixeira:* Faço já a conta... São 1.140$00:

*D. Ana:* Faz favor.

*Peixeira:* Aqui tem o seu troco e muito obrigada.

Em seguida, enquanto a D. Ana vai à banca dos legumes comprar dois quilos de cenouras, duas alfaces, um molho de agriões e uma couve portuguesa, a Sofia dirige-se à banca da fruta e compra um quilo de peras, um cacho de bananas e um ananás dos Açores.

# ✏ — Vamos lá escrever!

## Compreensão 📼

1. Onde estão a Sofia e a mãe?
   _____

2. O que é que vão comprar?
   _____

3. Quanto custa o quilo da pescada?
   _____

4. A D. Ana leva a pescada inteira ou às postas?
   _____

5. O que é que ainda precisam de comprar?
   _____

## Escrita 1

Complete os diálogos de acordo com o texto:

A  Na banca dos legumes

*D. Ana:* _____ das cenouras?

*Vendedora:* A 50$00 o quilo, minha senhora.

*D. Ana:* Então _____ .

*Vendedora:* Que mais vai ser?

*D. Ana:* _____ estas duas _____ , um _____

e aquela _____ .

*Vendedora:* São 350$00 tudo.

*D. Ana:* _____ .

*Vendedora:* Aqui tem _____ .

B  Na banca da fruta

*Vendedora:* Que deseja, menina?

*Sofia:* _____ de peras.

*Vendedora:* _____ ?

*Sofia:* Sim. Veja lá _____ aquele cacho _____

_____ .

*Vendedora:* _____ . É muito?

*Sofia:* Não, _____ . Também _____ .

*Vendedora:* Mais alguma coisa?

*Sofia:* _____ , obrigada. _____ a conta,

por favor.

# Sumário

## Objectivos funcionais

| | |
|---|---|
| Aconselhar | «Leiam primeiro as instruções.» |
| Dar ênfase | «Vê lá em cima da mesa da cozinha.» |
| Dar ordens | «Despacha-te, Sofia!» |
| Expressar impaciência | «Vá lá!» |
| Fazer pedidos | «Traz-me um pacote de café, se não te importas.» |
| Oferecer ajuda | «Precisa de ajuda, mãe?» |
| Perguntar ⎱ o preço<br>Dizer ⎰ | «A como é o quilo?»<br>«A 950$00.» |
| Recomendar | «Bebam qualquer coisa.» |

## Vocabulário

### Substantivos e adjectivos:

| | | | |
|---|---|---|---|
| os Açores | a cenoura | a lição | a pessoa |
| os agriões | o chão | a lista | a posta |
| a ajuda | a couve | a maçã | a praça |
| a alface | o dinheiro | a maravilha | o quilo(grama) (Kg) |
| o ananás | o erro | o menino | o resto |
| a banana | a fatia | a mercearia | o saco |
| a banca | o freguês | o molho | a sede |
| a biblioteca | o frio | o pacote | sozinho (adj.) |
| branquinho (adj.) | a fruta | a padaria | o talho |
| o cacho | a gente | a página | o trabalho |
| o calor | as instruções | a peixeira | o troco |
| o Canadá | inteiro (adj.) | a pera | o vendedor |
| a casa de banho | os legumes | a pescada | o vídeo |

### Expressões:

| | | | |
|---|---|---|---|
| A como é o quilo? | estar cheio de sede | ser preciso | |
| ⎧ aulas | fazer a conta | ter frio | |
| dar ⎨ erros | pôr a mesa | Vá lá,... | |
| ⎩ uma festa | | | |

### Verbos:

| | | | |
|---|---|---|---|
| corrigir | despachar-se | pesar | precisar de |
| cozer | encontrar | pôr | reunir-se |
| dar | olhar (para) | | |

# Áreas gramaticais/Estruturas

| | |
|---|---|
| Imperativo (afirmativo): | **verbos irregulares** |
| Preposições: | **a, para (+ verbos de movimento), de, em (+ meios de transporte)** |

---

| | |
|---|---|
| Advérbios: | **aproximadamente** |
| Locuções adverbiais: | **de costume, de preferência** |
| Locuções prepositivas: | **por volta de** |
| Preposições: | **durante** |

## Diálogo

No escritório onde a D. Ana trabalha

*D. Ana:* Bom dia, Dr. Lemos.

*Dr. Lemos:* Bom dia, D. Ana. Dê-me o processo n.º 72 e chegue aqui ao meu gabinete, se não se importa.

. . . . . . . .

*D. Ana:* Faça favor de dizer, senhor doutor.

*Dr. Lemos:* Preciso de ir amanhã ao Porto. Vou ter uma reunião com os nossos principais clientes.

*D. Ana:* Vou já tratar das reservas. Como é que quer ir?

*Dr. Lemos:* Bom, tenho de estar lá por volta das 09:30. Portanto, ou vou de comboio hoje à noite ou, de preferência, de avião amanhã de manhã.

*D. Ana:* De avião deve ser difícil, mas vou tentar. Quando é que pretende regressar?

*Dr. Lemos:* Volto logo no dia seguinte.

*D. Ana:* Então, marco-lhe quarto para uma ou duas noites no hotel do costume.

 — **Vamos lá falar!**

## Apresentação 1

| | Imperativo (afirmativo) | | |
|---|---|---|---|
| | singular | | plural |
| | formal | informal | formal e informal |
| dar | **Dê!** | Dá! | **Dêem!** |
| estar | **Esteja!** | Está! | **Estejam!** |
| ir | **Vá!** | Vai! | **Vão!** |
| ser | **Seja!** | **Sê!** | **Sejam!** |

### Oralidade 1

1. _____ -me o processo n.º 72, Por favor, D. Ana (*dar*)
2. _____ quietos, meninos! (*estar*)
3. _____ atenção, se não se importam! (*dar*)
4. _____ bem-vindo a Portugal, Steve! (*ser*)
5. _____ à agência de viagens levantar os bilhetes, Sr. Pinto. (*ir*)
6. _____ à porta do cinema às 21:00, mãe (*estar*)
7. _____ buscar os vossos casacos. (*ir*)

# Apresentação 2

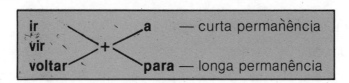

| | | |
|---|---|---|
| ir | a | — curta permanência |
| vir | + | |
| voltar | para | — longa permanência |

## Oralidade 2

1. O Dr. Lemos **vai ao** Porto na quarta-feira.
2. O Sr. Marques **vai** viver **para** o Porto.
3. A D. Ana **vai a** casa almoçar.
4. Às 18:00 **vai para** casa.
5. Em Agosto **vou à** Madeira passar férias.
6. Em Setembro o Steve **vai para** os E.U.A..
7. Depois do Natal, os tios do Miguel **voltam para** Faro.
8. Ele vai **voltar a** Lisboa dois anos mais tarde.
9. Ele **vem a** Lisboa visitar os amigos.
10. Ele **vem para** Lisboa estudar.

## Oralidade 3

1. O Rui vai _____ casa buscar o casaco.
2. Quando é que voltas _____ Boston, Steve?
3. Já não há pão. Vou _____ padaria.
4. Queres ir _____ cinema?
5. O Miguel vai _____ os E.U.A. estudar.
6. Vou _____ Correios comprar selos.

# Apresentação 3

| A | de + meios de transporte |
|---|---|

## Oralidade 4

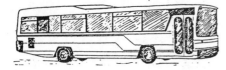

1. Eles vão à Costa da Caparica **de camioneta**.
2. Gosto muito de viajar **de barco**.

3. A Sofia vai ao médico **de táxi**.
4. O Steve vai para a Estrela **de eléctrico**.

5.    Para a Baixa, prefiro ir **de metropolitano**.

**N.B.: a pé**, **à boleia**.

B | **em + meios de transporte (determinado)**

## Oralidade 5

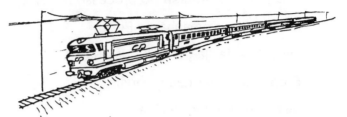

1.    Eles vão sair **no carro do pai**.    2.    O Dr. Lemos vai **no comboio das 19:30**.

3.    Prefiro voltar **no avião da TAP**.

4.    Daqui para a Estrela, tem de ir **no autocarro n.º 27**.

5.    Queres andar **na minha mota nova**, Miguel?

## Oralidade 6

> **Exemplo:** | Sr. Santos/ir para o emprego/carro
> *O Sr. Santos vai para o emprego de carro*.

1.    Steve/voltar para os E.U.A./avião

_____ .

2.    Eu/seguir já/este táxi

_____ .

3.    Paulo/ir para a escola/pé

_____ .

4.    Eles/voltar/comboio das 20:30

_____ .

5.    Nós/ir/carro dele

_____ .

# Apresentação 4

| Necessidade | Obrigatoriedade | Probabilidade |
|---|---|---|
| precisar de<br>ser preciso<br>ter de | ter de | dever |

## Oralidade 7

1. O Dr. Lemos **precisa do** processo n.º 72.

2. **Precisa de** ir amanhã ao Porto.

3. **Tem de** estar lá por volta das 09:30.

4. **É preciso** tratar das reservas.

5. **Deve** ser difícil ir de avião.

6. A D. Ana **tem de** telefonar já para a agência de viagens.

## Oralidade 8

1. — De quem é esta gramática?
   — _____ ser do Steve.

2. — Vais ao banco?
   — Sim, _____ cheques.

3. — Já não há café.
   — Pois não. _____ ir ao supermercado.

4. — O pai já está em casa?
   — Ainda não, mas _____ estar a chegar.

5. — Mãe, posso levar hoje o carro?
   — Não sei. _____ pedir ao teu pai.

6. — Senhor doutor, já não é possível ir de avião.
   — Então, _____ ir de comboio.

## Texto

A D. Ana vai telefonar para a agência para tratar da viagem do Dr. Lemos.

*Empregado:* Estou sim? Agência de viagens, bom dia.

*D. Ana:* Bom dia. Fala de A. Lemos, Lda. O nosso director-geral tem de estar amanhã cedo no Porto e pretende regressar no dia seguinte.

*Empregado:* Como é que deseja ir?

*D. Ana:* De preferência no primeiro avião da manhã.

*Empregado:* Só um minuto, que eu vou já verificar... Lisboa/Porto de avião já não vai ser possível. Tem de ir hoje à noite de comboio, mas pode regressar amanhã às 19:30 no vôo 702 da TAP.

*D. Ana:* Então marque, por favor, no Hotel Porto Atlântico em nome de Dr. António Lemos, uma noite em quarto individual, com pequeno-almoço incluído.

*Empregado:* Com certeza. Dentro de meia-hora aproximadamente confirmo-lhe as reservas e mando aí alguém entregar.

*D. Ana:* Obrigada. Faça o favor de enviar a factura para a empresa, como de costume.

 # — Vamos lá escrever!

## Compreensão

1. Para onde é que a D. Ana vai telefonar? Porquê?

   _____

2. Como é que o Dr. Lemos vai viajar?

   _____

3. Onde é que ele vai ficar? Durante quanto tempo?

   _____

4. A D. Ana vai buscar as reservas à agência?

   _____

5. É a primeira vez que a empresa trabalha com esta agência? Justifique com uma frase do texto.

   _____

## Escrita 1

Exemplo: | A + B = C |

| A |

| 1. | **guardar** |
| 2. | despir |
| 3. | ligar |
| 4. | dirigir-se |
| 5. | vestir |
| 6. | telefonar |
| 7. | ser |
| 8. | pôr |
| 9. | abrir |
| 10. | estar |
| 11. | pedir |

| B |

mesa, Sofia.
aparelhagem.
agência de viagens, D. Ana.
casacos.
informações ao polícia.
**processo n.º 72, por favor, D. Ana.**
cá à meia-noite, meninos.
bem-vindo a Lisboa.
janela, por favor.
Secção de Senhora, se faz favor.
camisolas.

| C |

1. *Guarde o processo n.º 72, por favor, D. Ana.* _____
2. _____
3. _____
4. _____
5. _____
6. _____
7. _____
8. _____
9. _____
10. _____
11. _____

## Escrita 2

Complete com: | *vai / a / cansado / estar / aeroporto / de / chega / à /*
*tem / às / ser / reunião / para / seguinte / porque* |

O Dr. Lemos _____ ao Porto _____ 23:30 e vai _____ táxi _____ o hotel. Deita-se logo _____ está _____ da viagem e o dia _____ vai _____ muito ocupado: tem _____ toda _____ manhã, _____ tarde _____ visitar a fábrica e às 18:30 _____ de _____ no _____.

# Sumário

## Objectivos funcionais

Expressar { necessidade / obrigatoriedade / probabilidade

«Preciso de ir amanhã ao Porto.»
«... tenho de estar lá por volta das 09:30.»
«De avião deve ser difícil...»

Falar de meios de transporte

«Como é que quer ir?»
«O Dr. Lemos vai ao Porto de comboio.»

Tratar de reservas

«Então marque, por favor, no Hotel Porto Atlântico em nome de Dr. António Lemos, uma noite em quarto individual com pequeno-almoço incluído.»
«Dentro de meia-hora, aproximadamente, confirmo--lhe as reservas.»

Usar o telefone

«Estou sim? Agência de viagens, bom dia.»
«Bom dia. Fala de A. Lemos, Lda.»

## Vocabulário

### Substantivos e adjectivos:

| | | | |
|---|---|---|---|
| o aeroporto | o comboio | a gramática | possível (adj.) |
| a agência | o costume | o hotel | principal (adj.) |
| o avião | o doutor (Dr.) | incluído (adj.) | o processo |
| a Baixa | o eléctrico | individual (adj.) | a reserva |
| o barco | o emprego | Lda. (limitada) | a reunião |
| o bilhete | a Estrela | a Madeira | seguinte (adj.) |
| a boleia | a fábrica | o metropolitano | o táxi |
| a camioneta | a factura | (metro) | a viagem |
| o cheque | a frase | o número (n.º) | o vôo |
| o cliente | geral (adj.) | ocupado (adj.) | |

### Expressões:

| | | | |
|---|---|---|---|
| dar atenção | estar quieto | ir buscar | ser possível |

### Verbos:

| | | | |
|---|---|---|---|
| confirmar | justificar | regressar | verificar |
| entregar | mandar | telefonar (para) | viajar |
| enviar | marcar | tentar | voltar |
| guardar | pretender | tratar (de) | |

**I - Complete com:** | estar, ficar, ser |

1. _____ muito bonita. Essa camisola _____-lhe muito bem.

2. Os rissóis aqui _____ óptimos.

3. O Dr. Lemos _____ de Lisboa, mas hoje _____ no Porto.

4. Vamos! Já _____ tarde.

5. — Quantos _____ vocês?
   — _____ doze.

6. Estes bolos hoje _____ muito bons.

7. — Vamos sair?
   — Não, _____ muito cansado. _____ em casa.

8. Hoje _____ muito frio.

9. — Que horas _____ ?
   — _____ meio-dia.

10. Este exercício não _____ muito difícil.

**II - Complete com:** | conhecer, conseguir, poder, saber |

1. Fala mais alto! Não _____ ouvir nada.

2. Vocês ainda não _____ o Algarve?

3. _____ levar o seu carro hoje à noite?

4. _____ falar português?

5. Eles ainda não _____ os pais do Steve.

6. O Rui _____ andar bem de bicicleta.

7. _____ estudar com barulho?

8. A Sofia não _____ sair, porque tem de estudar.

9. O Steve e o Miguel _____ jogar ténis muito bem.

10. Nós não _____ perceber este texto. É muito difícil.

**III - Ponha os verbos na forma correcta:**

1. _____ (*dizer*) à mãe que nós hoje _____ (*vir*) mais tarde, porque _____ (*ir*) primeiro ao clube.

2. _____ (*despir*) os casacos, _____ (*pôr*) aí as pastas e _____ (*vir*) já para a mesa.

3. _____ (*dar*) -me os vossos cadernos. Eu _____ ( *querer*) _____ (*ver*) se _____ (*estar*) tudo bem.

4. _____ (*ler*) esse texto com atenção e _____ (*ver*) se _____ (*conseguir*) _____ (*compreender*) tudo.

5. Enquanto eu _____ (*fazer*) o almoço, _____ (*ir*) à rua e _____ (*trazer*) mais pão que já _____ (*haver*) pouco.

6. Eu já não _____ (*lembrar-se*) como é que ele _____ (*chamar-se*).

**IV - Qual a expressão correcta?**

| | |
|---|---|
| **Até amanhã** | **Desculpe** |
| **Até logo** | **Faz favor** |
| **Boa noite** | **Muito obrigado** |
| **Com certeza** | **Por favor** |
| **De nada** | **Se não se importa** |

1. — Posso entrar?

   — _____ .

2. — Dê-me o processo n.º 72, D. Ana.

   — _____ .

3. — Traga-me a conta, _____ .

4. — _____ . Podia dizer-me onde ficam os Correios?

5. — Tem de se dirigir à Secção de Senhora, _____ .

6. — Muito obrigado.

   — _____ .

7. — Aqui tem o seu troco.

   — _____ .

8. A família Santos vai jantar fora.

   *Empregado:* _____ . Têm mesa reservada?

9. — Vou almoçar, D. Ana. Estou cá por volta das 15:00.

   — Então, _____, senhor doutor.

10. — Vou sair. Já não volto hoje.

    — Então, _____ .

## V · Complete com preposições (com ou sem artigo):

1.  A Rita e o João fazem anos ____ Verão.
    Ele faz anos ____ 15 _____ Julho e ela ____ Agosto, ____ dia 10.

2.  A D. Ana e a amiga interessam-se ____ roupa e gostam ____ ver revistas ____ moda.

3.  Ele é ____ Lisboa, mas está ____ viver ____ Porto, ____ casa ____ avós.

4.  Vá sempre ____ frente, corte ____ primeira ____ direita e depois siga ____ essa rua ____ ____ largo.

5.  Ele vai ____ a escola ____ autocarro, mas ela vai ____ pé.

## VI · Complete com: | **alguém, alguma, muitos, nada, nenhuma, ninguém, outra, pouca, todos, tudo**

1.  — Ainda há fruta?
    — Já há _____, mas ainda há _____ .

2.  — Não gosto muito desta camisola. Não tem _____ ?
    — Não, não temos mais _____ .

3.  — Já sabes _____ ?
    — Quem, eu?!? Parece-me é que não sei _____ .

4.  — Ainda está _____ no escritório ?
    — Não, a esta hora já não está lá _____ .

5.  — Nesta escola há _____ alunos de português?
    — Sim, e já _____ falam muito bem.

## VII · Complete:

**Exemplo:** | Este exercício é *facílimo*; é ainda *mais fácil* do que o outro. (*fácil*)

1.  O peixe hoje está _____, mas mesmo assim não está _____ do que a carne. (*caro*)

2.  Os queques aqui são _____, mas os pastéis de nata ainda são _____ .(*bom*)

3.  O dia hoje está _____, ainda está _____ do que no sábado. (*mau*)

4.  Este texto é _____; é mesmo _____ do que o primeiro. (*difícil*)

5.  No domingo tenho de me levantar _____, ainda _____ do que durante a semana. (*cedo*)

## VIII - Complete com:

| A | B | C |
|---|---|---|
| embrulho<br>mala<br>pacote<br>pasta<br>saco | cacho<br>fatia<br>molho<br>posta | conta<br>factura<br>lista<br>talão |

### A

1. Se vais à rua, traz-me um _____ de leite, por favor.
2. Ponham os livros e os cadernos dentro da _____, se fazem favor.
3. Põe o _____ das compras em cima da mesa da cozinha.
4. A senhora pode pagar na Caixa e levantar lá o _____ .
5. O Dr. Lemos leva só uma _____ para a viagem, com a roupa que vai precisar.

### B

1. Boa tarde. Queria uma _____ de pescada cozida.
2. Pode-me pesar aquele _____ de bananas, por favor?
3. Na banca dos legumes, ela compra um _____ de agriões.
4. Não queres uma _____ deste bolo de chocolate?

### C

1. Aqui tem o seu _____, minha senhora.
2. Vamos ao supermercado. Não te esqueças da _____ das compras.
3. Queria pagar. Pode trazer-me a _____, por favor.
4. Já está aqui a _____ da agência de viagens, Dr. Lemos.

# Áreas gramaticais/Estruturas

Pretérito perfeito simples:  | ir, ser, estar, ter |

Graus dos adjectivos e advérbios: | comparativo de igualdade e de inferioridade,
superlativo relativo de superioridade e de inferioridade,
superlativo absoluto analítico |

---

Advérbios: **actualmente, anteontem, apenas, infelizmente, ontem, principalmente**

**«Há» + expressões de tempo**

Indefinidos: **cada**

Locuções conjuncionais: **menos... do que, quer... quer, sempre que, tão... como**

## Diálogo

*Sr. Santos:* Já sei que estiveste no Porto. Como foi a tua viagem?

*Dr. Lemos:* Foi boa, mas muito cansativa. Foi tudo a correr: almoço de negócios, reunião e regresso no mesmo dia.

*Sr. Santos:* E não foste ver a exposição no Palácio de Cristal?

*Dr. Lemos:* Não, infelizmente não fui. Já não tive tempo para isso.

*Sr. Santos:* Eu tenho de ir lá na próxima semana. Porque é que não vens também? Podemos tirar de lá umas ideias interessantes.

*Dr. Lemos:* Sim, sem dúvida. Mas, nesse caso, um dia ou mesmo dois não chegam. É preferível uma semana inteira.

*Sr. Santos:* É claro. E, já agora, aproveitamos para assistir à final de futebol. Que tal?

#  — Vamos lá falar!

## Apresentação 1

| Pretérito perfeito simples | | |
|---|---|---|
| Verbos | **ir** / | **ser** |
| (eu) | f**u**i | f**u**i |
| (tu) | **foste** | **foste** |
| (você, ele, ela) | **foi** | **foi** |
| (nós) | **fomos** | **fomos** |
| (vocês, eles, elas) | **foram** | **foram** |

## Oralidade 1

1. Eu fui
2. Tu foste
3. Você foi
4. Ele foi
5. Ela foi

6. Nós fomos
7. Vocês foram
8. Eles foram
9. Elas foram

## Oralidade 2 🔲

**Exemplo:**
> — Já foram a Sintra?
> — Não, **nunca lá fomos**.//— Sim, **já lá fomos**.

1. — Já foi ao Palácio de Cristal?
   — Não,_____.

2. — Já foste à Costa da Caparica?
   — Sim, _____.

3. — O Steve nunca foi a Coimbra, pois não?
   — Não,_____.

4. — Os senhores nunca foram à Feira Internacional de Lisboa?
   — Sim, _____.

5. — Eles já foram ao Castelo de S. Jorge?
   — Não,_____.

## Oralidade 3 🔲

**Exemplo:**
> — A viagem foi boa?
> — Sim, **foi óptima**.//— Não, **foi péssima**.

1. — O teste foi fácil?
   — Não,_____.

2. — A reunião foi interessante?
   — Sim, _____.

3. — Os sapatos foram caros?
   — Não,_____.

4. — Foste um bom aluno na Faculdade?
   — Sim, _____.

5. — As vossas férias foram divertidas?
   — Sim, _____.

## Oralidade 4 🔲

1.   Ontem não _____ trabalhar, mas hoje já vou.

2.   A última viagem do Dr. Lemos ao Porto _____ um pouco cansativa.

3.   Vocês _____ à FIL na semana passada?

4.   No ano passado nós _____ de férias para o estrangeiro.

5.   Como _____ o espectáculo?

# Apresentação 2

| Pretérito perfeito simples | | | |
|---|---|---|---|
| Verbos | **estar** | / | **ter** |
| (eu) | **estiv**\|e | | **tiv**\|e |
| (tu) | **estiv**\|este | | **tiv**\|este |
| (você, ele, ela) | **est_ev_**\|e | | **t_ev_**\|e |
| (nós) | **estiv**\|emos | | **tiv**\|emos |
| (vocês, eles, elas) | **estiv**\|eram | | **tiv**\|eram |

## Oralidade 5

1. Eu estive
2. Tu estiveste
3. Você esteve
4. Ele esteve
5. Ela esteve
6. Nós estivemos
7. Vocês estiveram
8. Eles estiveram
9. Elas estiveram

## Oralidade 6

1. Eu tive
2. Tu tiveste
3. Você teve
4. Ele teve
5. Ela teve
6. Nós tivemos
7. Vocês tiveram
8. Eles tiveram
9. Elas tiveram

## Oralidade 7

**Exemplo:**
> — Estiveram lá anteontem?
> — **_Não estivemos_**, não.// — **_Estivemos_**, sim.

1. — Estiveste com eles no último fim-de-semana?
   — _____, não.

2. — A D. Ana esteve ontem no escritório?
   — _____, não.

3. — O senhor esteve na reunião?
   — _____, sim.

4. — Esteve em casa ontem à noite?
   — _____, não.

5. — Vocês estiveram lá até tarde?
   — _____, sim.

6. — Eles estiveram na festa?
   — _____, não.

## Oralidade 8

**Exemplo:**
> — Tiveste problemas no banco?
> — **_Não tive_**, não senhor.// — **_Tive_**, sim senhor.

1. — Vocês tiveram de fazer tudo outra vez?
   — _____, sim senhor.

2. — A senhora teve problemas na alfândega?
   — _____, não senhor.

3. — Eles tiveram dificuldade em arranjar bilhetes?
   — _____, não senhor.

4. — O Dr. Lemos teve muito trabalho no Porto?

— _____, sim senhor.

5. — Não tiveste de esperar muito, pois não?

— _____, não senhor.

## Oralidade 9 🔲

1. Ele _____ com gripe durante o fim-de-semana. _____ de ficar de cama.

2. Nós já lá _____ ontem e não _____ problemas nenhuns.

3. Quem é que _____ dificuldade em fazer os exercícios?

4. Ontem não _____ com elas, mas hoje vamos estar.

5. O que é que _____ a fazer até estas horas, Rui?

## Apresentação 3

A

| Normal | Comparativo | | | | |
|---|---|---|---|---|---|
| | igualdade | | | inferioridade * | |
| frio | | frio | | | frio | |
| | **tão** | | **como** | **menos** | | **(do) que** |
| longe | | longe | | | longe |

**Graus dos adjectivos e advérbios**

\* É pouco usado.

## Oralidade 10 🔲

**Exemplo:** Data de construção da igreja e do museu: 1650.
*A igreja é tão antiga como o museu.* (antigo)
Vida no campo e na cidade: ritmo diferente.
*A vida no campo é menos agitada do que na cidade.* (agitado)

1. Altura do Paulo e do Miguel: 1,75 m.

_____. (*alto*)

2. Invernos em Portugal e na Alemanha: temperaturas diferentes.

_____. (*rigoroso*)

3. Preço das calças e da saia: 5.750$00/cada.

_____. (*caro*)

4. Vinho de mesa e vinho do Porto: diferente graduação.

_____. (*graduado*)

5. Área do quarto e da sala: 18 m²/cada.

_____. (*grande*)

B

<table>
<tr><td rowspan="3">Normal</td><td colspan="6">Superlativo</td></tr>
<tr><td colspan="4">Relativo</td><td colspan="2">Absoluto</td></tr>
<tr><td colspan="2">superioridade</td><td colspan="2">inferioridade *</td><td colspan="2">analítico</td></tr>
<tr><td>frio<br>longe</td><td>o mais</td><td>frio<br>longe</td><td rowspan="2">o menos</td><td>frio<br>longe</td><td rowspan="2">muito</td><td>frio<br>longe</td></tr>
<tr><td>bom<br>grande<br>mau</td><td colspan="2">o melhor<br>o maior<br>o pior</td><td>bom<br>grande<br>mau</td><td>bom<br>grande<br>mau</td></tr>
</table>

* É muito pouco usado.

## Oralidade 11

**Exemplo:** O João, o Pedro e o José são todos ***muito altos***: ***o mais alto*** é o José que tem 1,85 m e ***o menos alto*** é o Pedro que tem 1,81 m. (*alto*)

1. As filhas dele são ________________: ________________ é a Rita e ________________, na minha opinião, é a Mafalda. (*bonito*)
2. Os romances dessa escritora são ________________: o primeiro foi ________________ e o último até agora foi ________________ de todos. (*interessante*)
3. Esses miúdos são todos ________________: ________________ é o Ricardo que está sempre a inventar coisas e ________________, mesmo assim, é o Nuno. (*endiabrado*)
4. Os meus professores são todos ________________: ________________ é o professor de Matemática e ________________ é o que dá Ciências. (*simpático*)
5. Ontem o concurso foi ________________: a primeira parte foi ________________, a segunda e terceira, mesmo assim, foram ________________. (*fraco*)

## Oralidade 12

**Exemplo:** O Miguel é mais velho que a Sofia e o Rui; é ***o mais velho*** dos irmãos.

1. Estas uvas são mais doces que aquelas; são ________________ que eu tenho, minha senhora.
2. As férias foram melhores que no ano passado; foram ________________ de sempre.

3. Esse filme foi pior que o anterior; foi _____ de todos.

4. Ela é melhor que as colegas; é _____ da turma.

5. O quarto do Miguel é maior que o do Steve; é _____ de todos.

## Texto

    O Sr. Santos é um grande adepto de desporto: gosta de andebol, basquetebol e, principalmente, de futebol. Actualmente não pratica nenhuma destas modalidades (só joga ténis aos fins-de-semana), mas, enquanto esteve a tirar o curso no Instituto, foi jogador de futebol numa equipa amadora.

    Hoje é ainda um espectador assíduo. Sempre que pode, aproveita para assistir a um bom jogo, quer na televisão, quer no próprio local. Há uns anos atrás, por exemplo, o Sr. Santos e o filho mais velho, o Miguel, foram até à Bélgica ver a final da Taça dos Campeões. Na próxima semana, como tem de ir ao Porto em negócios, vai aproveitar para ver o Boavista-Benfica.

# — Vamos lá escrever!

## Compreensão 🔲

1. Qual é o desporto preferido do Sr. Santos?

   _____

2. Ainda pratica desporto?

   _____

3. Quando é que ele foi jogador de futebol?

   _____

4. Quem é que foi até à Bélgica? Fazer o quê?

   _____

5. O Sr. Santos vai ao Porto só em trabalho?

   _____

## Escrita 1

> **Exemplo:** No ano passado, pelo Natal, estiveram na Grécia.
> Estamos em Dezembro.
> *Estiveram na Grécia há um ano*.

1. A Sofia teve exame em Junho.
   Estamos em Outubro.

   _____ .

2. Eles foram para o aeroporto às 10:30.
   São 14:00.

   _____ .

3. No sábado passado estivemos na praia.
   Hoje é terça-feira.

   _____ .

4. Tiveste uma chamada ao meio-dia.
   Agora é meio-dia e meia.

   _____ .

5. Fui a Espanha no dia 25.
   Estamos a 30.

   _____

## Escrita 2

**Exemplo:**
> amanhã/(nós) ir/ver/jogo
> *Amanhã vamos ver o jogo*.

1. mês passado/eles/estar/doente

   _____ .

2. próxima semana/(eu)/ir/estrangeiro

   _____ .

3. ontem/não/estar/ninguém/escritório

   _____ .

4. eles/ir/viver/Austrália/há duas semanas

   _____ .

5. vocês/ter/muito trabalho/ontem/tarde

   _____ ?

# Sumário

## Objectivos funcionais

| | |
|---|---|
| Concordar | «Sim, sem dúvida.»<br>«É claro.» |
| Convidar | «Porque é que não vens também?» |
| Falar de acções passadas | «Já sei que estiveste no Porto.» |
| Fazer comparações | «A igreja é tão antiga como o museu.»<br>«A vida no campo é menos agitada do que na cidade.»<br>«É o mais velho dos irmãos.» |
| Localizar acções passadas no tempo | «Há uns anos atrás... foram até à Bélgica...»<br>«Estiveram na Grécia há um ano.» |
| Pedir opinião | «Que tal?» |
| Reforçar uma declaração | «Tive, sim senhor.»<br>«Não tive, não senhor.» |

# Vocabulário

## Substantivos e adjectivos:

| | | | |
|---|---|---|---|
| o adepto | o concurso | a final | passado (adj.) |
| agitado (adj.) | a construção | fraco (adj.) | a praia |
| a alfândega | o curso | a graduação | preferido (adj.) |
| amador (adj.) | o desporto | graduado (adj.) | preferível (adj.) |
| o andebol | a dificuldade | a Grécia | o problema |
| anterior (adj.) | divertido (adj.) | a gripe | próprio (adj.) |
| a área | doce (adj.) | a ideia | o regresso |
| assíduo (adj.) | doente (adj.) | a igreja | rigoroso (adj.) |
| a Austrália | endiabrado (adj.) | interessante (adj.) | o ritmo |
| o basquetebol | a equipa | o Instituto | simpático (adj.) |
| o Benfica | o escritor | o metro (m) | a taça |
| o Boavista | o espectáculo | o metro quadrado (m²) | a temperatura |
| o campeão | o espectador | a modalidade | o teste |
| cansativo (adj.) | a exposição | o museu | a turma |
| o Castelo de S. Jorge | a Faculdade | os negócios | a uva |
| a chamada | a Feira Internacional | a opinião | a vida |
| a cidade | de Lisboa (FIL) | o Palácio de Cristal | |

## Expressões:

| | | | |
|---|---|---|---|
| estar com gripe | ...não senhor. | (Sim,) sem dúvida. | ter { dificuldade (em) |
| ficar de cama | Que tal? | ser preferível | problemas (em) |
| ir { de férias | | ...sim senhor. | tirar { um curso |
| em negócios | | | ideias |
| em trabalho | | | |

## Verbos:

| | | | |
|---|---|---|---|
| aproveitar | inventar | praticar | tirar |
| assistir (a) | | | |

**UNIDADE 12**

**«Os meus pais mandaram--me dinheiro.»**

## Áreas gramaticais/Estruturas

Pretérito perfeito simples: | **verbos regulares em -ar**

---

Demonstrativos: **o**

Indefinidos: **vários**

Locuções adverbiais: **por último**

## Diálogo

*D. Ana:* Já tomaste o pequeno-almoço, Steve?

*Steve:* Já, já. Vou ao banco levantar este cheque. Os meus pais mandaram--me dinheiro. Até logo.

*D. Ana:* Até logo.

. . . . . . . . . .

No banco

*Steve:* Bom dia. Queria levantar este cheque, por favor.

*Empregado:* Com certeza. Tem o seu passaporte?

*Steve:* Tenho. Faz favor.

*Empregado:* Qual é a sua morada em Portugal?

*Steve:* Av. de Roma, n.º 182 - 1.º Dt.º, 1700 LISBOA.

*Empregado:* Agora entrega esta chapa na Caixa 2 para receber o dinheiro.

*Steve:* Onde é a Caixa 2?

*Empregado:* À direita, ao fundo, onde está aquela bicha.

*Steve:* Só mais uma coisa. Qual é a cotação do dólar?

*Empregado:* Está a 137$70.

*Steve:* Baixou bastante. Obrigado.

*Empregado:* De nada. Bom dia.

# — Vamos lá falar!

## Apresentação 1

| Pretérito perfeito simples | |
|---|---|
| Verbos regulares em **-ar** | |
| (eu) | and **ei** |
| (tu) | convid **aste** |
| (você, ele, ela) | mand **ou** |
| (nós) | tom **ámos** |
| (vocês, eles, elas) | troc **aram** |

**N.B.:** começar → eu come**c**ei, tu começaste,...

ficar → eu fi**qu**ei, tu ficaste,...

pagar → eu pa**gu**ei, tu pagaste,...

### Oralidade 1

1. Eu ontem **fiquei** em casa.
2. Tu já **mandaste** a carta, Steve?
3. Você não **trocou** o dinheiro, pois não?
4. Ele **almoçou** com os clientes.
5. Ela **pagou** em dinheiro.
6. Nós **começámos** a trabalhar às 08:30.
7. Vocês **convidaram** alguém?
8. Eles ontem **fecharam** mais tarde.
9. Elas já **estudaram** tudo.

## Oralidade 2 🔲

1. — _____ (*acordar*) cedo, Paulo?

— Sim, _____ (*acordar*) antes das 08:00, mas só _____ (*levantar-se*) meia-hora depois.

2. — _____ (*gostar*) do filme, Sofia?

— _____ (*gostar*) imenso.

3. — Já _____ (*entregar*) os documentos, Sr. Pinto?

— Ainda não _____ (*entregar*).

4. — Os teus pais _____ (*enviar*)-te dinheiro?

— _____ (*mandar*)-me um cheque.

5. — Porque é que não me _____ (*telefonar*)?

— Porque _____ (*acabar*) o trabalho muito tarde.

6. — O senhor _____ (*pagar*) em cheque ou em dinheiro?

— _____ (*passar*) um cheque.

7. — _____ (*gastar*) muito dinheiro nas compras, Ana?

— _____ (*gastar*) e o pior é que não _____ (*comprar*) tudo.

8. — Porque é que _____ (*chegar*) atrasado, Rui?

— Já não _____ (*apanhar*) o autocarro das 09:00.

9. — _____ (*falar*) com eles?

— _____ (*falar*), mas ela não _____ (*falar*).

10. — A que horas _____ (*chegar*) ontem, meninos?

— _____ (*chegar*) por volta da meia-noite: _____ (*jantar*) fora e depois _____ (*levar*) o Paulo a casa.

## Oralidade 3 🔲

**Exemplo:** | Hoje estão na escola até às 18:00.
Ontem **_estiveram_** lá até às 17:00.

1. Hoje estou livre.
Ontem _____ muito ocupado.

2. Este ano vão para o Norte.
No ano passado _____ para o Algarve.

3. Ontem _____ de tratar dos passaportes.
Hoje temos de ir à agência.

4. Na semana passada o Dr. Lemos _____ ao Porto falar com uns clientes.
Hoje vai fechar o negócio.

5. Este filme é óptimo.
O de ontem também _____ bom.

# Apresentação 2

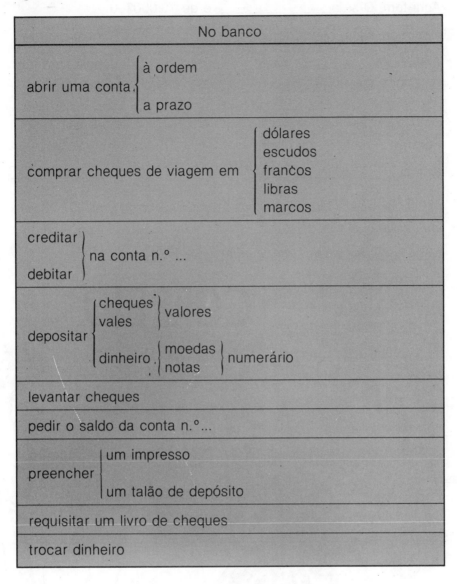

| No banco |
|---|
| abrir uma conta { à ordem / a prazo |
| comprar cheques de viagem em { dólares / escudos / francos / libras / marcos |
| creditar / debitar } na conta n.º ... |
| depositar { cheques / vales } valores / dinheiro { moedas / notas } numerário |
| levantar cheques |
| pedir o saldo da conta n.º... |
| preencher { um impresso / um talão de depósito |
| requisitar um livro de cheques |
| trocar dinheiro |

## Oralidade 4

**A**

*António:* Bom dia. Queria _____ uma _____ à _____, por favor.

*Empregado:* Com certeza. Tem aqui este _____ . Pode _____ e depois assina aqui em baixo.

*António:* Obrigado.

*Empregado:* De nada.

**B**

*Jorge:* Boa tarde. Queria _____ o _____ da _____ n.º 2495108, se faz favor.

*Empregado:* É só um momento, por favor.
Aqui tem. O seu _____ é de 18.000$00.

*Jorge:* Obrigado. Olhe, queria também _____ dinheiro.

*Empregado:* Então _____ este _____ e depois entregue ali, na caixa de depósitos.

C

*Empregado:* Bom dia. Faz favor de dizer.

*Maria:* Queria _____ um _____ de _____, por favor.

*Empregado:* Muito bem. É só assinar aqui este _____ .

*Maria:* Quando é que posso _____ os _____?

*Empregado:* Dentro de cinco dias úteis estão prontos.

*Maria:* Muito obrigada.

*Empregado:* Não tem de quê.

# CORREIO

## Texto

Hoje de manhã o Steve foi tratar de vários assuntos. Para não se esquecer de nada, anotou tudo na agenda.

Primeiro foi ao banco, levantar o cheque que os pais lhe mandaram. Como não gosta de andar com muito dinheiro, aproveitou para abrir uma conta à ordem e depositou logo metade. Guardou o resto do dinheiro e, já na rua, tirou a agenda do bolso.

*Steve:* Ora deixa cá ver, onde é que eu agora tenho de ir.

| JANEIRO | 4ª SEMANA |
|---------|-----------|
| **25**<br><br><br>**Segunda** | *ir aos correios:*<br>*- comprar selos*<br>*- mandar carta para Boston*<br>*- telefonar aos pais*<br>*ir à escola:*<br>*- pagar a mensalidade*<br>*- falar com a professora*<br>*- requisitar livro na biblioteca* |

# — Vamos lá escrever!

## Compreensão 🔲

1. O que é que o Steve foi fazer hoje de manhã?
   _____

2. Porque é que ele anotou tudo na agenda?
   _____

3. Onde é que ele foi primeiro?
   _____

4. Quem é que lhe mandou o cheque?
   _____

5. O que é que ele foi fazer ao banco?
   _____

## Escrita 1

Imagine que o Steve está a contar ao Miguel o que teve de fazer hoje de manhã. Comece assim:

Hoje de manhã fui ao banco e levantei o cheque que_____

_____

_____

A seguir fui aos Correios. _____

_____

Por último, tive de ir à escola. _____

_____

## Escrita 2

Aqui está o talão de depósito que o Steve teve de preencher:

| Banco | | TALÃO DE DEPÓSITO |
|---|---|---|
| | Data 89 01 25 | N.º 00 |

IDENTIFICAÇÃO

| Balcão | Tipo | Número |
|---|---|---|
| PARA CRÉDITO DA CONTA → 12 | 34 | 567890 |

Nome *Steve Harris*
Morada *Av. de Roma, 182 - 1º Drº    1700 Lisboa*

**VALORES — DISCRIMINAÇÃO**

| NÚMEROS | ENTIDADE SACADA | LOCALIDADE | IMPORTÂNCIAS | |
|---|---|---|---|---|
| | | | | 1 |
| | | | | 2 |
| | | | | 3 |
| | | | | 4 |
| | | | | 5 |
| | | | | 6 |
| | | | | 7 |
| | | | | 8 |
| | | | | 9 |
| | | | | 10 |

| Valores disponíveis após boa cobrança → | SOMA VALORES | |
|---|---|---|
| | NUMERÁRIO | 50 000 00 |
| | TOTAL | 50 000 00 |

Extenso *Cinquenta mil escudos*

O depositante *Steve Harris*

Agora você.

Imagine que vai depositar a quantia de 75.000$00 na sua conta bancária. Para isso tem de preencher o talão de depósito:

## Escrita 3

Aqui está o cheque que o Steve passou para pagar a mensalidade da escola:

> **Banco**
>
> CHEQUE N°
>
> Pague por este cheque, ESCUDOS
> *15-000$00*
>
> Assinaturas
> *Steve Harris*
>
> Local de emissão
> *Lisboa*
>
> Data
> *89 01 25*
>
> à ordem de *Escola de Línguas de Lisboa*
> a quantia *Quinze mil escudos*

Agora você.

Imagine que foi à Livraria Lisbonense e comprou um dicionário de português. Para pagar passou um cheque na quantia de 8.595$00.

> **Banco**
>
> CHEQUE N°
>
> Pague por este cheque, ESCUDOS
> $
>
> Assinaturas
>
> Local de emissão
>
> Data
> / /
>
> à ordem de _____
> a quantia _____

# Sumário

## Objectivos funcionais

| | |
|---|---|
| Falar de acções passadas | «Os meus pais mandaram-me dinheiro.» |
| Falar de operações bancárias | «Queria levantar este cheque.» |
| | «Qual é a cotação do dólar?» |
| | «Está a 137$70.» |
| | «Queria abrir uma conta à ordem, por favor.» |
| | «Queria saber o saldo da conta n.º ...» |
| | «Queria também depositar dinheiro.» |
| | «Queria requisitar um livro de cheques.» |

Perguntar ⎫
⎬ a morada
Dizer ⎭

«Qual é a sua morada em Portugal?»

«Av. de Roma, n.º 182 - 1.º Dt.º, 1700 LISBOA.»

---

## Vocabulário

### Substantivos e adjectivos:

| | | | |
|---|---|---|---|
| a agenda | o depósito | o marco | o numerário |
| o assunto | o documento | a mensalidade | o passaporte |
| a Av. de Roma | o dólar | a metade | a quantia |
| bancário (adj.) | o franco | a moeda | o saldo |
| a bicha | o impresso | a morada | útil (adj.) |
| o bolso | a libra | a nota | o vale |
| a chapa | a livraria | o Norte | os valores |
| a cotação | livre (adj.) | | |

### Expressões:

| | | | |
|---|---|---|---|
| à ordem | Ora deixa cá ver.... | pagar em ⎧ cheque | passar um cheque |
| a prazo | Não tem de quê. | ⎩ dinheiro | requisitar um livro |
| cinco dias úteis | | | |

### Verbos:

| | | | |
|---|---|---|---|
| acordar | baixar | depositar | preencher |
| anotar | creditar | gastar | receber |
| assinar | debitar | imaginar | requisitar |

**«... andei a fazer arrumações e parti o braço.»**

UNIDADE 13

## Áreas gramaticais/Estruturas

| | |
|---|---|
| Pretérito perfeito simples: | **verbos regulares em -er, -ir, verbos em -air, ver** |
| Presente do indicativo: | **doer** |
| Advérbios: | **tanto, tão** |
| Indefinidos: | **tanto(s), tanta(s)** |

---

| | |
|---|---|
| Advérbios: | **abaixo, absolutamente, mal** |
| Interjeições: | **hem!, zás!** |
| Locuções conjuncionais: | **desde que** |

116

# Diálogo

**Miguel:** Então Paulo, o que é que te aconteceu?

**Paulo:** Olha, andei a fazer arrumações e parti o braço.

**Sofia:** Como é que foi isso?

**Paulo:** A minha mãe pediu-me para limpar a arrecadação. Fui buscar o escadote e...

**Miguel:** E... zás! Caíste do escadote abaixo, não?

**Paulo:** Pois foi. E agora estou neste lindo estado.

**Sofia:** Dói-te muito o braço?

**Paulo:** Agora já não me dói tanto. Mas ainda estou com dores na perna. Tenho cá uma nódoa negra...!

**Miguel:** Coitado! Tiveste mesmo azar.

 # — Vamos lá falar!

## Apresentação 1

| A | Pretérito perfeito simples | |
|---|---|---|
| | Verbos regulares em **-er** | |
| (eu) | beb | **i** |
| (tu) | com | **este** |
| (você, ele, ela) | desc | **eu** |
| (nós) | escrev | **emos** |
| (vocês, eles, elas) | perd | **eram** |

## Oralidade 1

1. Eu ontem **comi** muito.
2. Tu não **perdeste** o dinheiro, pois não?
3. Você ainda não **leu** este artigo?
4. Ele **nasceu** em Moçambique.
5. Ela **bebeu** café com leite ao pequeno-almoço.
6. Nós **vivemos** no Porto há muitos anos.
7. Vocês não se **esqueceram** de nada?
8. Eles **desceram** a pé.
9. Elas **escreveram**-me um postal.

B

| Pretérito perfeito simples | |
|---|---|
| Verbos regulares em **-ir** | |
| (eu) | abr**i** |
| (tu) | decid**iste** |
| (você, ele, ela) | ouv**iu** |
| (nós) | part**imos** |
| (vocês, eles, elas) | vest**iram** |

**N.B.:** Verbos em **-air**

cair → eu ca**í**, tu ca**í**ste, ele caiu, nós ca**í**mos, eles ca**í**ram

sair → eu sa**í**, tu sa**í**ste, ele saiu, nós sa**í**mos, eles sa**í**ram

## Oralidade 2

1. Eu ainda não **decidi** nada.
2. Tu **caíste** do escadote, não foi?
3. Você já **ouviu** as notícias?
4. Ele **partiu** o braço.
5. Ela já se **vestiu**.

6. Nós ontem **abrimos** uma conta no banco.
7. Vocês **conseguiram** saber a morada dele?
8. Eles **pediram** o carro ao pai.
9. Elas ontem não **saíram** de casa.

C

| Pretérito perfeito simples |
|---|
| Verbo **ver** = **regulares em -ir** |

## Oralidade 3

1. **Vi** ontem o Paulo.
2. Já **viste** a minha aparelhagem nova?
3. **Viu** o Sr. Pinto, D. Ana?
4. Ainda não **vimos** esse filme.
5. **Viram** a minha pasta?

## Oralidade 4

1. Ele _____ (*ver*) o filme, mas não _____ (*perceber*) quase nada.

2. Eles _____ (*descer*) de elevador, mas ela _____ (*preferir*) ir a pé.

3. Eu _____ (*conseguir*) saber o número dela e não _____ (*esquecer-se*) de lhe telefonar.

4. O Paulo _____ (*cair*) do escadote e _____ (*partir*) o braço.

5. Nós ainda não _____ (*ler*) o artigo que ele _____ (*escrever*).

## Oralidade 5

1. — Então, ainda não se vestiram, meninos?

   — Eu já estou pronto, mas a Sofia ainda não _____ .

2. — Esqueceste-te de alguma coisa?
   — _____ do chapéu de chuva, como sempre.

3. — Perderam o dinheiro!?!
   — _____ o dinheiro e os documentos todos.

4. — Onde é que nasceste?
   — _____ em Moçambique.

5. — Viram o filme de ontem?
   — _____ . Foi muito bom.

6. — O senhor pediu um garoto?
   — Não, não. _____ uma bica.

7. — Ouviram as notícias de manhã?
   — _____ . É só desgraças.

8. — Já leu o jornal?
   — Já _____, já. Pode levar.

9. — Ainda não recebeste nenhuma carta?
   — Já _____ uma da minha mãe.

10. — O que é que comeram ao jantar?
    — Eu _____ escalopes de vitela e ela _____ peixe.

## Apresentação 2

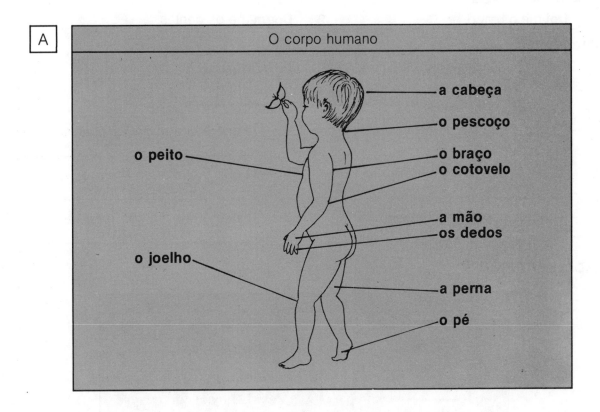

A    O corpo humano

a cabeça
o pescoço
o peito
o braço
o cotovelo
a mão
os dedos
o joelho
a perna
o pé

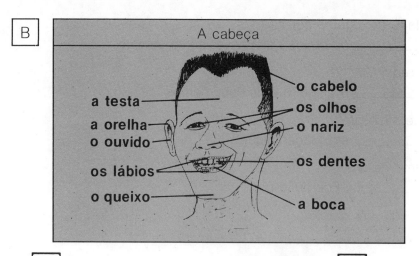

### Oralidade 6 📼

1. a cabeça
2. o pescoço
3. o peito
4. o braço
5. o cotovelo
6. a mão
7. os dedos
8. a perna
9. o joelho
10. o pé

### Oralidade 7 📼

1. o cabelo
2. a testa
3. os olhos
4. a orelha
5. o ouvido
6. o nariz
7. a boca
8. os lábios
9. os dentes
10. o queixo

## Apresentação 3

| Presente do indicativo | |
|---|---|
| Verbo | **doer** |
| singular | **dói** |
| plural | **doem** |

### Oralidade 8 📼

1. **Dói**-me o braço.
2. **Doem**-me os dentes.

### Oralidade 9 📼

**Exemplo:**
> — O que é que te dói? (*cabeça*)
> — *Dói-me a cabeça.*

1. — O que é que lhe dói? (*ouvidos*)
— _____ .

2. — O que é que te dói? (*joelho*)
— _____ .

3. — O que é que lhe dói? (*perna*)
— _____ .

4. — O que é que te dói? (*dentes*)
— _____ .

5. — O que é que te dói? (*braço*)
— _____ .

6. — O que é que lhe dói? (*pés*)
— _____ .

## Apresentação 4

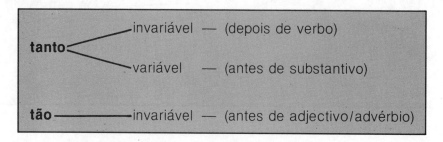

## Oralidade 10 🔲

1. Agora já não me dói **tanto**.
2. Já não tenho **tantas** dores.
3. Ele está **tão** dorido!
4. Chegaste **tão** cedo!

## Oralidade 11 🔲

1. Estás _____ bonita, Sofia!
2. Coitado do Paulo! Teve _____ azar!
3. _____ gente!
4. Falas _____ depressa que não percebo nada.
5. Hum! Gosto _____ desse bolo!
6. Olha, _____ carros!

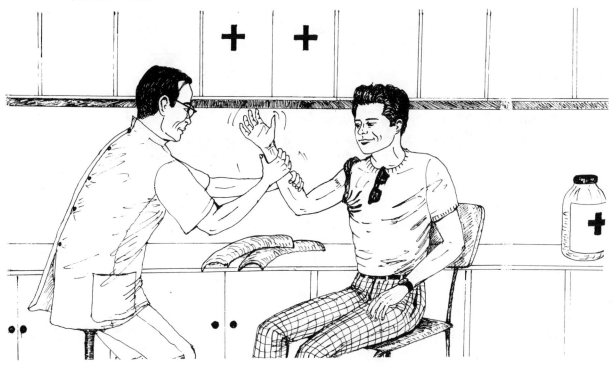

## Texto

🔲

   Já passou um mês desde que o Paulo teve o acidente. Por isso a mãe telefonou para o consultório e marcou uma consulta para o ortopedista. Este observou o Paulo e achou que ele já podia tirar o gesso.
   No dia seguinte, o Paulo e a mãe foram os dois ao hospital.

*Enfermeiro:* Então, já estás melhor?

   *Paulo:* Acho que sim. Nunca mais tive dores.

*Enfermeiro:* Óptimo! Isso é que é preciso! Vamos lá tirar esse gesso.

   *Paulo:* Até que enfim! Custou tanto a passar!

*Enfermeiro:* Pronto! Não te doeu, pois não?

   *Paulo:* Absolutamente nada.

*Enfermeiro:* Consegues mexer o braço?

   *Paulo:* Consigo. Agora tenho de fazer ginástica.

*Enfermeiro:* Acho que deves falar primeiro com o médico e nada de exageros, hem!

   *Paulo:* Claro! Tenho consulta logo à tarde.

#  — Vamos lá escrever!

## Compreensão

1. Há quanto tempo é que o Paulo teve o acidente?

   _____

2. Para onde é que a mãe telefonou? Porquê?

   _____

3. Onde é que foram no dia seguinte? Porquê?

   _____

4. O Paulo ficou contente por tirar o gesso? Justifique com uma frase do texto.

   _____

5. O Paulo pode começar já a fazer ginástica com o braço? Justifique.

   _____

## Escrita 1

> **Exemplo:** O Paulo teve o acidente há um mês.
> *Já passou um mês desde que o Paulo teve o acidente*.

1. Parti o braço há quatro semanas.

   _____ .

2. O bebé nasceu há quinze dias.

   _____ .

3. Ele escreveu o último romance há um ano.

   _____ .

4. Os meus tios mudaram-se para o apartamento novo há oito dias.

   _____ .

5. O exame começou há uma hora.

   _____ .

## Escrita 2

> **Exemplo:** Estou com muito sono. Mal consigo abrir os olhos.
> *Estou com tanto sono que mal consigo abrir os olhos*.

1. Hoje andei muito. Doem-me os pés.

   _____ .

2. O dia ontem esteve muito bonito. Resolvi ir passear.

   _____ .

3. Estou com muitas dores. Vou já tomar um comprimido.

   _____ .

4. Ele sentiu-se muito mal. A mãe chamou o médico.

   _____ .

5. Ontem estudei muito. Fiquei com dores de cabeça.

   _____ .

# Sumário

## Objectivos funcionais

| | |
|---|---|
| Dar ênfase | «Tenho cá uma nódoa negra...!» |
| Expressar alívio | «Até que enfim.» |
| Expressar ênfase, sob um ponto de de vista subjectivo | «Estás tão bonita, Sofia!» «Custou tanto a passar.» |
| Expressar dor | «... não me dói tanto.» «Estou com dores na perna.» |
| Expressar ironia | «E agora estou neste lindo estado.» |
| Expressar simpatia | «Coitado! Tiveste mesmo azar.» «Óptimo! Isso é que é preciso!» |
| Falar de acções passadas | «... o que é que te aconteceu?» «... andei a fazer arrumações e parti o braço.» |
| Falar do corpo humano | |
| Localizar acções passadas no tempo | «Já passou um mês desde que o Paulo teve o acidente.» |

## Vocabulário

### Substantivos e adjectivos:

| | | | |
|---|---|---|---|
| o acidente | o consultório | o exagero | o olho |
| a arrecadação | o corpo | o gesso | a orelha |
| a arrumação | o cotovelo | a ginástica | o ortopedista |
| o artigo | o dedo | humano (adj.) | o ouvido |
| o azar | o dente | o joelho | o pé |
| o bebé | a desgraça | o lábio | o peito |
| a boca | a dor | lindo (adj.) | a perna |
| o braço | dorido (adj.) | a mão | o pescoço |
| a cabeça | o elevador | Moçambique | o postal |
| o cabelo | o escadote | o nariz | o queixo |
| o chapéu de chuva | o escalope (de vitela) | a nódoa negra | o sono |
| o comprimido | o estado | a notícia | a testa |
| a consulta | | | |

### Expressões:

| | | | |
|---|---|---|---|
| Coitado de...! Custou tanto a passar! estar com {dores/sono} | fazer {arrumações/ginástica} ficar {com dores (de)/contente (por)} | ir passear Isso é que é preciso! marcar uma consulta Nada de exageros...! | ter {azar/dores/uma consulta} tomar um comprimido |

### Verbos:

| | | | |
|---|---|---|---|
| acontecer chamar doer | limpar mexer | mudar-se (para) nascer | observar sentir-se |

**«Então, o que é que o médico te disse?»**

UNIDADE 14

## Áreas gramaticais/Estruturas

| | |
|---|---|
| Pretérito perfeito simples: | **dizer, trazer** |
| Pronomes pessoais complemento directo: | **me, te, o, a** |
| Com + pronomes pessoais complemento circunstancial: | **comigo, contigo, consigo, com ele(s), com ela(s), connosco, com vocês, convosco** |

---

| | |
|---|---|
| Advérbios: | **essencialmente** |
| Conjunções: | **nem, pois** |
| Indefinidos: | **certas** |
| Interrogativos: | **que tipo de** |
| Locuções conjuncionais: | **não só... mas também** |
| Locuções prepositivas: | **por causa de** |

## Diálogo

Ao telefone

*Sofia:* Está lá? É de casa do Paulo?

*Paulo:* Sim, sim. É o próprio. Quem fala?

*Sofia:* É a Sofia. Então, o que é que o médico te disse?

*Paulo:* Está tudo bem. Tirei ontem o gesso e trouxe um aparelho para fazer exercícios com o braço.

*Sofia:* Ainda bem! E para comemorar o «braço novo», porque é que não vamos à revista?

*Paulo:* Porque é que te lembraste disso?

*Sofia:* Bom, é que o Miguel tem bilhetes para hoje, para a estreia. Vens connosco?

*Paulo:* É claro que vou. Como é que combinamos?

*Sofia:* Encontramo-nos às nove no café. O Jorge e a Rita também vão lá ter. Ah! É verdade! Traz a tua irmã.

*Paulo:* Está bem. Eu levo-a comigo. Até logo.

*Sofia:* Até logo.

 — **Vamos lá falar!**

## Apresentação 1

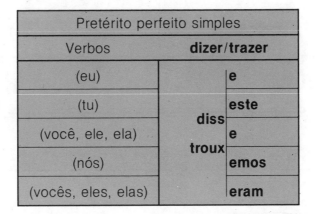

### Oralidade 1

1. Eu disse
2. Tu disseste
3. Você disse
4. Ele disse
5. Ela disse
6. Nós dissemos
7. Vocês disseram
8. Eles disseram
9. Elas disseram

### Oralidade 2

1. Eu trouxe
2. Tu trouxeste
3. Você trouxe
4. Ele trouxe
5. Ela trouxe
6. Nós trouxemos
7. Vocês trouxeram
8. Eles trouxeram
9. Elas trouxeram

### Oralidade 3

1. — O que é que te _____ no hospital?
   — _____-me para fazer ginástica com o braço. (*dizer*)
2. — _____ os bilhetes, Miguel?
   — Claro que _____ . (*trazer*)

3. — Já _____ à tua irmã que vamos à revista?

— Não, ainda não lhe _____ nada. (*dizer*)

4. — Vocês _____ alguma coisa para comer?

— _____ chocolates para todos. (*trazer*)

5. — Quem é que me _____ isso?

— Fomos nós que te _____ . (*dizer*)

## Oralidade 4 🔲

1. Eles não lhe _____ para onde foram.

2. _____-lhe uma prenda, mãe.

3. Ninguém me _____ que estiveste doente.

4. Nós já lhe _____ que ela não está em casa de manhã.

5. _____ os óculos, Teresa?

## Apresentação 2

A

| | Pronomes pessoais |
|---|---|
| | complemento directo |
| (eu) | **me** |
| (tu) | **te** |
| (você) (o senhor) (a senhora) (ele) (ela) | **o, a** |

## Oralidade 5 🔲

1. — A Teresa também vai à revista?

— Vai. A Sofia também _____ convidou.

2. — A esta hora já não há autocarros, Miguel.

— Não faz mal. Eu levo-_____ a casa, Teresa.

3. — Onde é que tens o bilhete? Perdeste-_____?

— Não. Guardei-_____ na mala.

4. — Já conheces a Rita?

— Sim, sim. Conheci-_____ ontem, na festa.

5. — Ajudas-_____ com as roupas, Sofia?

— Ajudo-_____ já, mãe. É só um minuto.

**B**

| com + pronomes pessoais | | |
|---|---|---|
| complemento circunstancial | | |
| | singular | plural | |
| (eu) | **comigo** | **connosco** | (nós) |
| (tu) | **contigo** | **com vocês** | (vocês) |
| (você) (o senhor) (a senhora) | **consigo** | **convosco** | (os senhores) (as senhoras) |
| (ele) | **com ele** | **com eles** | (eles) |
| (ela) | **com ela** | **com elas** | (elas) |

## Oralidade 6

**Exemplo:**
— Também vens _____ (*nós*)?
— Também vens ***connosco***?

1. Hoje não vou sair _____ (*ela*). Podem contar _____ (*eu*) para o cinema.

2. A Sofia já falou _____ (*eu*) e logo à tarde vai falar _____ (*tu*), Teresa.

3. — Quem é que vai _____ (*vocês*) no carro?
   — A Sofia. A Teresa e o Paulo têm de ir _____ (*tu*).

4. — Posso ir _____ (*você*) às compras, mãe?
   — Podes. Então o teu pai já não precisa de vir _____ (*nós*).

5. — Lembram-se da conversa que tive _____ (*os senhores*)?
   — Sim, mas também me lembro que não concordámos _____ (*o senhor*).

## Apresentação 3

| Ao telefone | |
|---|---|
| — Está lá? É de casa de...? | — Estou sim? |
| — Não, não. É engano. | — Está? Donde é que fala, por favor? |
| — Desculpe. | — Fala do 730231. |
| — Não faz mal. Com licença. | — A Ana está? |
| | — É a própria. Quem fala? |

— A. Lemos, Lda., bom dia.
— Bom dia. É possível falar com o Dr. Lemos, por favor?
— O Dr. Lemos não pode atender neste momento. Quer deixar recado?
— Diga-lhe que telefonaram da parte do Dr. Figueira.
— Muito bem. Bom dia e com licença.

# Oralidade 7

A

Você vai ligar para a escola e pede para falar com a Dra. Madalena, a professora de Português.

*Recepcionista:* _____ , _____ .

*Você:* _____ , _____ ?

*Recepcionista:* Neste momento não está. _____ ?

*Você:* _____ .

*Recepcionista:* Com certeza. _____ e _____ .

*Você:* _____ .

B

Agora vai telefonar para casa do João e convida-o para ir ao cinema.

*João:* _____ ?

*Você:* _____ ? _____ ?

*João:* _____ . _____ ?

*Você:* _____ .

_____ ao cinema _____ ?

*João:* Claro! Como é que combinamos?

*Você:* _____ . _____ ?

*João:* O.K.. Então até logo.

*Você:* _____ .

C

Você quer telefonar para casa do Miguel, mas engana-se no número.

*A:* Estou sim?

*Você:* _____ ? _____ ?

*A:* Aqui não mora nenhum Miguel!

*Você:* _____ ?

*A:* Fala do 579527.

*Você:* _____ . _____ .

*A:* _____ . _____ .

## Texto

A revista à portuguesa é essencialmente um espectáculo cómico e, ao mesmo tempo, uma sátira social. É, pois, necessário estar a par da situação política do país para perceber determinados números.

Muitos estrangeiros têm dificuldade em compreender certas piadas, não só por causa do tipo de linguagem, mas também porque não conhecem bem as figuras caricaturadas.

Ontem à noite o Miguel e os amigos foram à estreia duma revista no Parque Mayer. Foi a primeira vez que o Steve assistiu a um espectáculo deste tipo. À saída, o Miguel perguntou:

*Miguel:* Então, gostaram?

*Sofia:* Eu gostei imenso.

*Paulo:* Ri-me tanto que até me dói a barriga. E tu, Steve?

*Steve:* Gostar, gostei. Mas não percebi nem metade.

*Teresa:* Deixa lá! Para a próxima vamos antes ao cinema — é tudo em inglês!

 # — Vamos lá escrever!

### Compreensão

1. Que tipo de espectáculo é a revista à portuguesa?

_____

2. Porque é que os estrangeiros têm, geralmente, dificuldade em compreender alguns números?

   _____

3. Onde é que o Miguel e os amigos foram ontem à noite?

   _____

4. O que é que o Paulo achou do espectáculo? Justifique com uma frase do texto.

   _____

5. E qual foi a opinião do Steve?

   _____


## Escrita 1

**Exemplo:** | Steve/assistir/revista à portuguesa
Foi a primeira vez que *o Steve assistiu a uma revista à portuguesa*.

1. Paulo/partir/braço
   Foi a primeira vez que _____ .

2. nós/provar/comida indiana
   Foi a primeira vez que _____ .

3. Rui/beber/champanhe
   Foi a primeira vez que _____ .

4. eu/ir/Tailândia
   Foi a primeira vez que _____ .

5. elas/estar/estrangeiro
   Foi a primeira vez que _____ .


## Escrita 2

Composição guiada.

1. Miguel/convidar/amigos/estreia/revista.

   _____ .

2. (Eles)/combinar/encontrar-se/ele/café/19:00.

   _____ .

3. (Eles)/ir/todos/táxi/Parque Mayer.

   _____ .

4. Primeiro/comer/pequeno/restaurante/Parque.

   _____ .

5. Depois/jantar/dirigir-se/então/teatro.

   _____ .

# Sumário

## Objectivos funcionais

| | |
|---|---|
| Dar ênfase | «Ri-me tanto que até me dói a barriga.» |
| Expressar simpatia | «Ainda bem.»<br>«Deixa lá.» |
| Falar de acções passadas | «... o que é que o médico te disse?» |
| Marcar encontros | «Encontramo-nos às nove no café.» |
| Usar o telefone | «Está lá? É de casa do Paulo?»<br>«Sim, sim. É o próprio. Quem fala?» |

## Vocabulário

### Substantivos e adjectivos:

| | | | |
|---|---|---|---|
| o aparelho | o engano | os óculos | a saída |
| a barriga | a estreia | o Parque Mayer | a sátira |
| caricaturado (adj.) | a figura | a piada | social (adj.) |
| o champanhe | indiano (adj.) | político (adj.) | a Tailândia |
| cómico (adj.) | a linguagem | o próprio | o teatro |
| a comida | necessário (adj.) | o recado | o telefone |
| a conversa | o número | a revista | o tipo |
| determinado (adj.) | | (à portuguesa) | |

### Expressões:

| | | | |
|---|---|---|---|
| Ainda bem! | deixar recado | Está lá? | ir ter (a) |
| Com licença! | É engano. | estar a par (de) | O.K. |
| ...da parte de | É o próprio. | Estou (sim)? | ser necessário |
| Deixa lá! | É verdade! | | |

### Verbos:

| | | | |
|---|---|---|---|
| ajudar | comemorar | enganar-se (em) | provar |
| atender | contar com | ligar (para) | rir-se |
| combinar | encontrar-se (com) | | |

«Acham que se pode tomar banho?»

## Áreas gramaticais/Estruturas

Pretérito perfeito simples: | fazer, querer |

Frases exclamativas: | Que... tão...! |

Partícula apassivante: | se |

---

Advérbios: **praticamente**

Preposições: **sobre**

## Diálogo

*Sofia:* Isto aqui é mesmo bonito, não é?

*Miguel:* Que sítio tão maravilhoso! Fizemos bem em escolher este lugar.

*Steve:* A água é tão limpinha! Acham que se pode tomar banho?

*Miguel:* É claro que se pode. O rio aqui não é perigoso e nesta altura do ano a água não deve estar nada fria.

*Steve:* Que pena! Não trouxemos os fatos de banho nem nada!

*Miguel:* Eu bem quis trazer o meu...

*Sofia:* Não faz mal. Fica para amanhã. Vamos antes alugar um barco e dar uma volta pelas ilhas.

*Steve:* Boa ideia. Devem ser uma maravilha!

 — **Vamos lá falar!**

**Oralidade 1**

**Exemplo:**
> — Falaram com eles?
> — *Falámos*.

1. — Saíste com ela?

— _____ .

2. — Trouxeste o fato de banho?

— _____ .

3. — Ficaste em casa?

— _____ .

4. — O senhor foi à reunião?

— _____ .

5. — Disseste-lhe?

— _____ .

6. — Esteve doente, D. Rosa?

· — _____ .

7. — Comeram tudo?

— _____ .

8. — Teve um bom fim-de-semana, senhor doutor?

— _____ .

9. — Foram ao cinema, meninos?

— _____ .

10. — Escreveu a carta, D. Ana?

— _____

# Apresentação 1

A

| Pretérito perfeito simples | |
|---|---|
| Verbo **fazer** | |
| (eu) | **fiz** |
| (tu) | **fiz** este |
| (você, ele, ela) | **f<u>e</u>z** |
| (nós) | **fiz** emos |
| (vocês, eles, elas) | **fiz** eram |

B

| Pretérito perfeito simples | |
|---|---|
| Verbo **querer** | |
| (eu) | **quis** |
| (tu) | **quis** este |
| (você, ele, ela) | **quis** |
| (nós) | **quis** emos |
| (vocês, eles, elas) | **quis** eram |

## Oralidade 2

| | | | |
|---|---|---|---|
| 1. | Eu fiz | 6. | Nós fizemos |
| 2. | Tu fizeste | 7. | Vocês fizeram |
| 3. | Você fez | 8. | Eles fizeram |
| 4. | Ele fez | 9. | Elas fizeram |
| 5. | Ela fez | | |

## Oralidade 3

| | | | |
|---|---|---|---|
| 1. | Eu quis | 6. | Nós quisemos |
| 2. | Tu quiseste | 7. | Vocês quiseram |
| 3. | Você quis | 8. | Eles quiseram |
| 4. | Ele quis | 9. | Elas quiseram |
| 5. | Ela quis | | |

## Oralidade 4

1. — Olha o que _____! Está tudo sujo.
   — Eu!?! Eu não _____ nada. *(fazer)*

2. — Eu bem _____ trazer o fato de banho.
   — Não _____, não senhor. *(querer)*

3. — _____ alguma coisa para o lanche, mãe?
   — _____ um bolo de chocolate. *(fazer)*

4. — Porque é que vocês não _____ vir connosco?
   — Nós _____, mas não tivemos tempo. *(querer)*

5. — Já _____ os exercícios todos, meninos?
   — Não, ainda só _____ os dois primeiros. *(fazer)*

## Oralidade 5

1. Ela _____ anos no sábado passado.

2. Eles _____ a festa no jardim.

3. Nós _____ mostrar as ilhas ao Steve.

4. O que é que _____ no fim-de-semana, Paulo?

5. Ele não _____ falar sobre o assunto.

# Apresentação 2

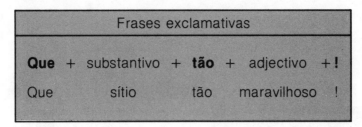

| Frases exclamativas |
|---|
| **Que** + substantivo + **tão** + adjectivo +**!** |
| Que sítio tão maravilhoso ! |

## Oralidade 6 📼

1. Este bebé é muito bonito.
   _____

2. Esse romance é muito interessante.
   _____

3. O dia hoje está muito feio.
   _____

4. O empregado foi muito antipático.
   _____

5. Este jogo é muito giro.
   _____

6. Esta maçã é muito amarga.
   _____

7. Este bolo é muito bom.
   _____

8. O filme foi muito mau.
   _____

9. A festa está muito animada.
   _____

10. A representação foi muito fraca.
    _____

# Apresentação 3

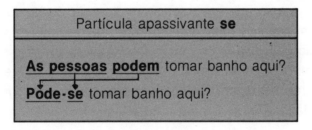

| Partícula apassivante **se** |
|---|
| **As pessoas podem** tomar banho aqui? |
| **Pode-se** tomar banho aqui? |

## Oralidade 7 📼

1. No Norte **as pessoas bebem** muito vinho.
   No Norte _____ muito vinho.

2. Em Portugal **as pessoas tomam** normalmente café depois das refeições.
   Em Portugal _____ normalmente café depois das refeições.

3. Na reunião **as pessoas falaram** de tudo um pouco.
   Na reunião _____ de tudo um pouco.

4. Em Portugal **as pessoas vêem** muito televisão.
   Em Portugal _____ muito televisão.

5. No Natal **as pessoas comem** bacalhau cozido na consoada.
   No Natal _____ bacalhau cozido na consoada.

## Texto

O Miguel e os amigos aproveitaram o fim-de-semana prolongado e resolveram dar uma volta pelo centro de Portugal. Foram até à cidade de Tomar visitar o Convento de Cristo e depois subiram a serra em direcção à Ilha do Lombo. Ficaram hospedados na estalagem da ilha que tem uma boa piscina, um ambiente agradável e uma ementa deliciosa.

A Ilha do Lombo é pequena e fica bem no meio do rio Zêzere. A estalagem, rodeada por árvores, ocupa praticamente toda a ilha. Para chegar até lá, apanha--se o barco que faz carreira de hora a hora.

# — Vamos lá escrever!

**Compreensão**

1. O que é que o Miguel e os amigos fizeram durante o fim-de-semana prolongado?

_____

2. Que locais é que eles visitaram?

_____

3. Onde é que passaram a noite?

_____

4. Como é a estalagem?

_____

5. Como é que se vai para lá?

_____

## Escrita 1

**Exemplo:**

> vocês/fazer/ontem
> ir ao cinema
>
> — *O que é que vocês fizeram ontem?*
> — *Fomos ao cinema.*

1. eles/fazer/em Tomar
   visitar o Convento de Cristo

   — _____?

   .— _____.

2. Sofia/fazer/ontem à tarde
   tomar banho na piscina

   — _____?

   — _____.

3. tu/fazer/durante a manhã
   ir dar uma volta pela ilha

   — _____?

   — _____.

4. vocês/fazer/ontem à noite
   ver o filme da televisão

   — _____?

   — _____.

5. o senhor/fazer/no fim-de-semana
   ficar em casa a descansar

   — _____?

   — _____.

## Escrita 2

A Sofia escreveu aos avós a contar o que fez durante o fim-de-semana prolongado.

Lisboa, ____ de _____ de 19__

Queridos avós

_____

_____

_____

_____

_____

Vou acabar aqui, porque tenho de ir ajudar a mãe a fazer o jantar.
Um beijinho da vossa neta

Sofia

# Sumário

## Objectivos funcionais

| Deduzir | | «Devem ser uma maravilha!» |
|---|---|---|
| | agrado | «Que sítio tão maravilhoso!» |
| Expressar | desagrado | «Que dia tão feio!» |
| | pesar | «Que pena!» |
| | impessoais | «Acham que se pode tomar banho?» |
| Falar de acções | | «... apanha-se o barco...» |
| | passadas | «O que é que vocês fizeram ontem?» |

## Vocabulário

### Substantivos e adjectivos:

| | | | |
|---|---|---|---|
| agradável (adj.) | o Convento | a ilha | a piscina |
| amargo (adj.) | de Cristo | a Ilha do Lombo | prolongado (adj.) |
| o ambiente | delicioso (adj.) | limpinho (adj.) | querido (adj.) |
| animado (adj.) | a direcção | o lugar | a representação |
| antipático (adj.) | a ementa | maravilhoso (adj.) | o rio |
| a árvore | a estalagem | o meio | rodeado (adj.) |
| o beijinho | o fato de banho | o neto | a serra |
| a carreira | feio (adj.) | passado (adj.) | sujo (adj.) |
| o centro | giro (adj.) | perigoso (adj.) | Tomar |
| a consoada | hospedado (adj.) | | o Zêzere |

### Expressões:

| | | | |
|---|---|---|---|
| Boa ideia. | fazer bem em | ir em direcção a | Que pena! |
| ... de hora a hora. | fazer carreira | ... nem nada. | tomar banho |
| ... de tudo um pouco. | ficar hospedado | passar a noite | Um beijinho de... |

### Verbos:

| | | | |
|---|---|---|---|
| alugar | escolher | ocupar | subir |
| descansar | | | |

# REVISÃO
# 11/15

## I - Complete com:

| A | B | C |
|---|---|---|
| cheque<br>mensalidade<br>quantia<br>saldo | comprimido<br>consulta<br>consultório<br>Doutor<br>médico | aulas<br>curso<br>escola<br>salas<br>turma |

**A**

Depois de verificar o _____, passou um _____ na _____ de 15.000$00 para pagar a _____ da escola.

**B**

O Paulo tem de ir ao _____ . Já tomou um _____, mas não lhe passaram as dores. A mãe ligou para o _____ e marcou uma _____ para o _____ Silva.

**C**

O Steve está a tirar um _____ de português para estrangeiros. A _____ dele é moderna e as _____ de aula são grandes. Gosta muito das _____ de História. É um dos melhores alunos da _____ .

## II - Complete com os pronomes pessoais:

1. _____ ontem deitámo-_____ tardíssimo.

2. Os pais do Steve mandaram-_____ um cheque e _____ foi ao banco.

3. _____ nunca _____ lembro do nome dessa rua.

4. Temos de estar no café às três. O Miguel combinou encontrar-_____ lá _____.

5. _____ recebeu o dinheiro e guardou-_____ na mala.

## III - Complete com:

| A | B | C |
|---|---|---|
| estar \| a com em | ficar \| com de em para | ir \| a com de para |

A

1. Estou _____ tanto sono! Vou-me já deitar.

2. Nós estivemos _____ estudar toda a tarde.

3. Foi a primeira vez que o Steve esteve _____ Tomar.

B

1. Ontem não saí. Fiquei _____ casa.

2. Leu tanto que ficou _____ dores de cabeça.

3. Hoje já não tivemos tempo para visitar o castelo. Fica _____ amanhã.

4. A Sofia ficou _____ cama durante o fim-de-semana. Esteve com gripe.

C

1. Quem é que vai _____ vocês no carro?

2. Ele foi viver _____ o Brasil.

3. Eles foram _____ táxi para o Parque Mayer.

4. O Miguel e a Sofia vão sempre almoçar _____ casa.

## IV - Ligue as frases. Faça alterações, se necessário.

**Exemplo:**

> Não posso sair. Tenho de estudar. (*porque*)
> *Não posso sair, porque tenho de estudar*.

1. Ri-me muito. Dói-me a barriga. (*que*)

   _____

2. A mãe faz o jantar. A Sofia põe a mesa. (*enquanto*)

   _____

3. Estou muito cansado. Vou já dormir. (*que*)

   _____

4. Eles estiveram em Tomar. Foram visitar o convento. (*quando*)

   _____

5. O Rui dá uma festa para os amigos. Ele faz anos. (*sempre que*)

   _____

## V - Qual a expressão correcta?

| | |
|---|---|
| **Ainda bem** | **Não faz mal** |
| **Coitado de** | **Não tem de quê** |
| **Com licença** | **Que pena** |
| **Estou sim** | **Que tal** |
| **Isso é que é preciso** | **Sem dúvida** |

1. — _____? Gostas do meu vestido novo?
— É muito giro.

2. — Peço imensa desculpa pelo atraso, Miguel.
— _____, Steve.

3. — O senhor ajudou-me bastante. Muito obrigado.
— _____.

4. — Já estou melhor do braço.
— _____!

5. — Está? É de casa da Sofia?
— Não, não. É engano.
— Desculpe. _____.

6. — A água está mesmo boa.
— _____! Não trouxemos os fatos de banho...

7. — Podemos tirar umas ideias interessantes da exposição.
— Sim, _____.

8. — O que é que lhe aconteceu?
— Caiu do escadote e partiu o braço.
— _____ o Paulo! Teve mesmo azar.

9. — Já não tenho dores, senhor doutor.
— Óptimo! _____.

10. — _____?
— Donde é que fala, por favor?

## VI - O que é que a Teresa fez no fim-de-semana?

|  | sábado | domingo |
|---|---|---|
| manhã | • acordar às 09:00 <br> • ir às compras com a mãe | • dormir até ao meio-dia |
| tarde | • ler o jornal | • fazer arrumações no quarto |
| noite | • ouvir música <br> • sair com amigos | • escrever aos avós <br> • ver televisão <br> • deitar-se cedo |

No sábado de manhã, a Teresa _____

_____

_____

_____

_____

_____

_____

_____

# «Por onde é que vieram?»

## Áreas gramaticais/Estruturas

Pretérito perfeito simples: | **vir** |

Preposições: | **para, por** |

Conjugação perifrástica: | **haver de + infinitivo** |

142

# Diálogo

*D. Ana:* Fizeram boa viagem, meninos?

*Miguel:* Estamos um bocado cansados. Eu principalmente, que vim a conduzir o caminho todo. Mas correu tudo bem.

*D. Ana:* Gostaste do passeio, Steve?

*Steve:* Adorei. Havemos de fazer isto mais vezes.

*D. Ana:* Na próxima vão mais para norte. Há lugares tão bonitos como esse.

*Sr. Santos:* Por onde é que vieram?

*Sofia:* Viemos por Vila Franca de Xira e depois pela auto-estrada.

*Sr. Santos:* Por aí o caminho é mais curto, mas a estrada é pior.

*Miguel:* Pois é, pai. Mas chegámos mais depressa a casa. Só quero é ir dormir.

 # — Vamos lá falar!

**Oralidade 1**

> **Exemplo:**
> — Fizeram boa viagem?
> — *Fizemos*.

1. — Amanhã trazes-me o livro?

  — _____ .

2. — Vais almoçar a casa?

  — _____ .

3. — Gostaram do passeio, meninos?

  — _____ .

4. — Teve muito trabalho, mãe?

  — _____ .

5. — Trouxeste o jornal?

  — _____ .

6. — Consegues fazer o exercício?

  — _____ .

7. — Pedes o carro ao pai?

  — _____ .

8. — Podes sair logo à noite?

  — _____ .

9. — Vocês comem em casa hoje?

  — _____ .

10. — Fez o que eu lhe pedi, D. Ana?

  — _____

# Apresentação 1

| Pretérito perfeito simples | |
|---|---|
| Verbo **vir** | |
| (eu) | **vim** |
| (tu) | **vieste** |
| (você, ele, ela) | **veio** |
| (nós) | **viemos** |
| (vocês, eles, elas) | **vieram** |

## Oralidade 2

1. Eu vim
2. Tu vieste
3. Você veio
4. Ele veio
5. Ela veio

6. Nós viemos
7. Vocês vieram
8. Eles vieram
9. Elas vieram

## Oralidade 3

1. — Como é que vocês _____?
   — _____ de carro.

2. — _____ sozinha para casa, Sofia?
   — Não. _____ com o Paulo.

3. — Porque é que não _____ trabalhar ontem, D. Ana?
   — Não _____, porque estive doente.

4. — O Rui _____ a pé?
   — Não. _____ de bicicleta.

5. — Os pais dele _____ de comboio?
   — Não. _____ de camioneta.

# Apresentação 2

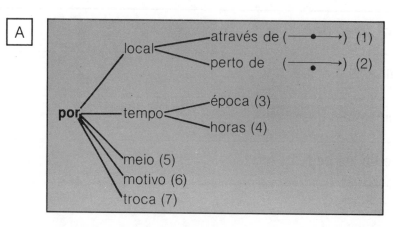

144

## Oralidade 4 🔲

1. Eles vieram **pela** ponte e depois **pela** auto-estrada.
2. Esse autocarro passa **por** minha casa.
3. Os avós do Miguel vêm sempre a Portugal **pela** Páscoa.
4. Ela deve chegar **pelas** cinco da tarde.
5. Vou mandar o livro **pelo** correio.
6. Ela está em casa **por** doença.
7. Ele pagou 23.000$00 **pelo** arranjo do carro.

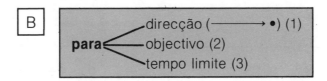

## Oralidade 5 🔲

1. Esta camioneta vai **para** Tomar.
2. O Steve está a tirar um curso **para** aprender português.
3. Quero o relatório pronto **para** amanhã, D. Ana.

## Oralidade 6 🔲

1. _____ ir até Tomar, o senhor segue sempre _____ esta estrada.
2. Ele escreve _____ prazer e não _____ necessidade.
3. O Miguel veio _____ Vila Franca e depois _____ auto-estrada.
4. Pagámos 2.500$00 _____ almoço.
5. A avenida passa _____ praia.
6. Os pais do Steve vêm a Portugal _____ visitar o filho.
7. Os tios da Sofia vêm sempre a Lisboa _____ Natal.
8. O Sr. Santos precisa do carro pronto _____ o meio-dia.
9. O comboio _____ o Porto parte às 20:30. O Dr. Lemos deve chegar ao hotel _____ meia-noite.
10. Mandei a carta _____ avião _____ chegar mais depressa.

## Apresentação 3

| Futuro · intenção/convicção | | | |
|---|---|---|---|
| **haver de + infinitivo** | | | |
| (eu) | hei- | | |
| (tu) | hás- | | fazer |
| (você, ele, ela) | há- | de | ir |
| (nós) | havemos | | saber |
| (vocês, eles, elas) | hão- | | |

## Oralidade 7 📼

1.   Eu **hei-de** falar com ele.
2.   Tu **hás-de** ir comigo aos E.U.A..
3.   Ele **há-de** saber o que aconteceu.
4.   Nós **havemos de** fazer isso mais vezes.
5.   Eles **hão-de** voltar à Ilha do Lombo.

## Oralidade 8 📼

1. — Já leste este livro?
   — Não, mas _____.

2. — Já falaram com ele?
   — Ainda não, mas _____.

3. — Nunca fui a Tomar.
   — Deixa lá. Um dia _____.

4. — Ele já sabe o que aconteceu?
   — Ainda não, mas _____.

5. — Os pais dele já vieram a Portugal?
   — Não, mas _____.

6. — Já conseguiu abrir a janela?
   — Está difícil, mas_____.

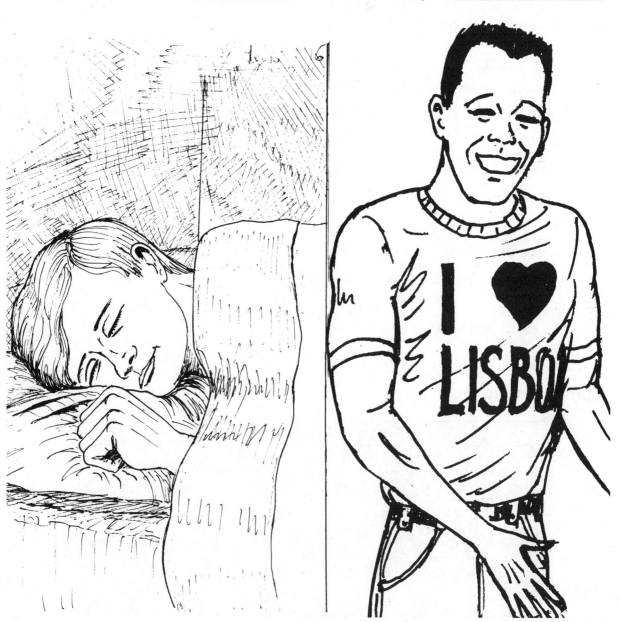

## Texto

O Miguel, a Sofia e o Steve já estão de volta. Chegaram um pouco antes do jantar. O Miguel guiou todo o caminho e chegou tão cansado que nem quis comer nada — foi-se logo deitar. A Sofia e o Steve ainda ficaram a conversar com os pais sobre a viagem. O Steve, principalmente, adorou o passeio.

*Steve:* Fiquei encantado com todos os lugares por onde passámos. Os meus pais vêm cá pela Páscoa e hei-de ir lá com eles.

 **— Vamos lá escrever!**

## Compreensão

1. Quando é que eles chegaram?
   _____

2. Porque é que o Miguel se foi logo deitar?
   _____

3. Com quem é que a Sofia e o Steve ficaram a conversar? Sobre o quê?
   _____

4. O que é que o Steve disse do passeio?
   _____

5. O Steve tenciona voltar lá? Com quem?
   _____

## Escrita 1

Escreva uma nova frase com o mesmo sentido da anterior. Utilize uma palavra/expressão do quadro:

| | |
|---|---|
| adorar | **correr bem** |
| chegar | haver de |
| conduzir | ir para a cama |

1. Não tivemos nenhum problema.
   *Correu tudo bem* _____ .

2. Tenciono voltar a Tomar com os meus pais.
   _____ .

147

3.  Eles gostaram muito do passeio.

    _____ .

4.  O Miguel, a Sofia e o Steve já estão de volta.

    _____ .

5.  O Miguel guiou todo o caminho.

    _____ .

6.  Vou-me já deitar.

    _____ .

## Escrita 2

**Exemplo:**

> Eles estiveram a conversar <u>sobre a viagem</u>.
> *Sobre o que é que eles estiveram a conversar?*

1.  Nós viemos <u>pela auto-estrada</u>.

    _____ ?

2.  Eles foram sair <u>com os amigos</u>.

    _____ ?

3.  Preciso do carro pronto <u>para as três horas</u>.

    _____ ?

4.  Ela comprou o casaco <u>por 14.500$00</u>.

    _____ ?

5.  Esse comboio vai <u>para o Porto</u>.

    _____ ?

# Sumário

## Objectivos funcionais

| | |
|---|---|
| Dar ênfase | «Só quero é ir dormir.» |
| Expressar agrado | «Adorei.» |
| | «Fiquei encantado com todos os lugares...» |
| Expressar intenção | «Eu hei-de falar com ele.» |
| Expressar convicção | «Ele há-de saber o que aconteceu.» |
| Falar de acções passadas | «Mas correu tudo bem.» |
| Perguntar o trajecto | «Por onde é que vieram?» |
| Indicar o trajecto | «Viemos por Vila Franca de Xira e depois pela auto-estrada.» |

## Vocabulário

### Substantivos e adjectivos:

| | | | |
|---|---|---|---|
| o arranjo | a doença | a necessidade | o prazer |
| a auto-estrada | encantado (adj.) | a ponte | o relatório |
| o correio | a estrada | a praia | Vila Franca de Xira |

### Expressões:

| | | | |
|---|---|---|---|
| correr bem | estar de volta | ficar encantado (com) | um bocado |

### Verbos:

| | | | |
|---|---|---|---|
| adorar | conversar (sobre) | haver de | tencionar |
| conduzir | guiar | | |

**«Então hoje não houve aulas, hem!»**

## Áreas gramaticais/Estruturas

| | |
|---|---|
| Pretérito perfeito simples: | haver (forma impessoal), saber |
| Pronomes pessoais complemento directo e indirecto: | nos, vos, os, as, lhes |

---

| | |
|---|---|
| Advérbios: | **afinal** |
| Conjunções: | **contudo** |
| Locuções adverbiais: | **a sério** |
| Locuções prepositivas: | **a partir de, antes de, ao pé de** |

## Diálogo

*Miguel:* Então hoje não houve aulas, hem!

*Steve:* Pois não. Tivemos uma visita de estudo. Mas como é que soubeste?

*Miguel:* Disse-me o Juan, o teu amigo espanhol. Estive mesmo agora com ele no café.

*Sofia:* Afinal, aonde é que foram?

*Steve:* Ao Museu Rafael Bordalo Pinheiro. Fomos com a nossa professora e ela falou-nos da história do museu e da obra do artista.

*Sofia:* Ah! É muito giro, não é?

*Steve:* É, é. É giríssimo. O pior é que agora tenho de fazer uma composição sobre o que lá vi.

#  — Vamos lá falar!

## Oralidade 1

**Exemplo:**
— Foste ao museu, não foste?
— *Fui, fui*.

1. — Vieste a pé, não vieste?
   — _____, _____ .

2. — A senhora é do Porto, não é?
   — _____, _____ .

3. — Estás muito cansado, não estás?
   — _____, _____ .

4. — Viste este filme, não viste?
   — _____, _____ .

5. — Sabe falar alemão, não sabe?
   — _____, _____ .

6. — Já lhe deu o recado, não deu?
   — _____, _____ .

## Apresentação 1

| Pretérito perfeito simples |
| --- |
| Verbo **haver** |
| forma impessoal: **houve** |

## Oralidade 2

1. Hoje não **houve** aulas.
2. Ontem **houve** um acidente ao pé da escola.
3. Não **houve** problemas com o exercício?
4. Na semana passada **houve** uma reunião de professores.
5. Hoje de manhã **houve** uma avaria no metro.

# Apresentação 2

| Pretérito perfeito simples | |
|---|---|
| Verbo **saber** | |
| (eu) | **e** |
| (tu) | **este** |
| (você, ele, ela) | **soub** **e** |
| (nós) | **emos** |
| (vocês, eles, elas) | **eram** |

## Oralidade 3

1. Eu soube
2. Tu soubeste
3. Você soube
4. Ele soube
5. Ela soube

6. Nós soubemos
7. Vocês souberam
8. Eles souberam
9. Elas souberam

## Oralidade 4

1. — _____ do acidente do Paulo, Rita?

   — Não, não _____ de nada.

2. — Como é que vocês _____ que eu hoje não tive aulas?

   — _____ pelo Juan.

3. — _____ fazer isso tudo, D. Ana?

   — _____ sim, senhor doutor.

4. — Quem é que _____ resolver o exercício?

   — _____ todos.

5. — Vocês _____ o que aconteceu?

   — _____ .

# Apresentação 3

| Pronomes pessoais | | |
|---|---|---|
| complemento | | |
| | directo | indirecto |
| (nós) | **nos** | **nos** |
| (vocês) | **vos** | **vos** |
| (os senhores) (as senhoras) (eles) (elas) | **os, as** | **lhes** |

## Oralidade 5 🔲

1. — O que é que _____ apetece beber, meninos?

   — Apetece-_____ um sumo bem fresco.

2. — Posso fazer-_____ uma pergunta, meus senhores?

   — Com certeza.

3. — Já não temos transporte. Podes levar-_____ a casa?

   — Está bem. Eu levo-_____ .

4. A Teresa convidou-_____, mas eles não quiseram ir.

5. Eu já _____ chamei, mas as senhoras não me ouviram.

6. Não fomos, porque ninguém _____ disse nada.

7. Já não sei dos bilhetes. Perdi-_____ com certeza.

8. Escrevi-_____ na semana passada, mas eles ainda não me responderam.

9. Vocês não me viram, mas eu vi-_____ .

10. Podes levar as revistas. Já _____ li.

## Texto

🔲

Rafael Bordalo Pinheiro (1846-1905) foi uma figura importante no meio cultural e artístico lisboeta do século XIX, com uma obra variada no campo das artes plásticas, das artes gráficas e da cerâmica. No entanto, foi principalmente como caricaturista que Rafael Bordalo Pinheiro ficou célebre. Primeiro começou a fazer caricaturas apenas para divertir os amigos. Estas, contudo, tiveram tanto êxito que, a partir de 1874, o artista decidiu dedicar-se a sério à carreira de caricaturista.

As figuras que criou exerceram uma acção crítica e pedagógica sobre a sociedade contemporânea. De entre todas, o Zé Povinho, símbolo do povo português, é sem dúvida a mais famosa.

# ✎ — Vamos lá escrever!

## Compreensão 🔘

1. Quem foi Rafael Bordalo Pinheiro?

_____

2. Em que ano é que ele morreu?

_____

3. Em que campo é que ficou célebre?

_____

4. A partir de quando é que se dedicou a sério à caricatura? Porquê?

_____

5. Qual é a figura mais famosa do artista? O que é que ela representa?

_____

## Escrita 1

> **Exemplo:** Eles foram <u>ao Museu Rafael Bordalo Pinheiro</u>.
> *A que museu é que eles foram?*

1. A professora falou <u>sobre a vida e obra do artista</u>.

_____?

2. Ele morreu <u>no século xx</u>.

_____?

3. Ele dedicou-se principalmente <u>à carreira de caricaturista</u>.

_____?

4. <u>A partir de 1884</u> dedicou-se também à cerâmica.

_____?

5. Eles gostaram muito <u>da figura do Zé Povinho</u>.

_____?

## Escrita 2

Complete com os seguintes verbos na forma correcta:

**abrir / fazer / guardar / morrer / nascer / oferecer / reunir / ser**

Santa Cruz Magalhães _____ um grande admirador de Rafael Bordalo Pinheiro. Durante anos _____ as obras deste artista e _____-as em casa. Com elas _____ no 1.º andar um museu que mais tarde _____ ao público. Antes de _____, _____-o à cidade de Lisboa. Assim _____ o Museu Rafael Bordalo Pinheiro.

# Sumário

## Objectivos funcionais

| | |
|---|---|
| Concordar, reforçando | «É, é. É giríssimo.» |
| Expressar admiração | «Mas como é que soubeste?» |
| Expressar agrado | «É muito giro, não é?» |
| Falar de acções passadas | «Ontem houve um acidente ao pé da escola.» |
| Gracejar | «Então hoje não houve aulas, hem!» |

## Vocabulário

### Substantivos e adjectivos:

| | | | |
|---|---|---|---|
| a acção | o caricaturista | importante (adj.) | o século |
| o admirador | célebre (adj.) | lisboeta (adj.) | o símbolo |
| a arte {plástica gráfica | a cerâmica | o Museu Rafael Bordalo Pinheiro | a sociedade |
| | a composição | | o transporte |
| o artista | contemporâneo (adj.) | a obra | variado (adj.) |
| artístico (adj.) | crítico (adj.) | pedagógico (adj.) | a visita (de estudo) |
| a avaria | cultural (adj.) | o povo | o Zé Povinho |
| a caricatura | o êxito | o público | |

### Expressões:

| | | | |
|---|---|---|---|
| exercer acção (sobre) | ter êxito | | |

### Verbos:

| | | | |
|---|---|---|---|
| criar | exercer | oferecer | responder |
| dedicar-se (a) | morrer | representar | reunir |
| divertir | | | |

## Áreas gramaticais/Estruturas

**Imperativo (negativo)**

Pretérito perfeito simples: | **dar** |

Locuções prepositivas:     **fora de, perto de**

## Diálogo

*Sofia:* Está quieto, Rui! Não me atires areia!

*Steve:* Ufa! Está cá um calor! Nem sei como é que consegues estar aí deitada.

*Sofia:* Já percebi. Queres companhia para tomar banho.

*Rui:* Embora! Vamos todos ao banho.

*Sofia:* Vão, vão. Eu fico aqui a apanhar sol.

*Rui:* Ó Miguel, já deste mergulhos dali, daquela rocha?

*Miguel:* Já, mas nem penses nisso. És muito pequeno.

*Steve:* Anda, Rui. Traz o colchão.

 — # Vamos lá falar!

### Oralidade 1

**Exemplo:**

| _____ o colchão, Rui. (*trazer*) |
| *Traz* o colchão, Rui. |

1. _____ o chapéu, Sofia. (*pôr*)
2. _____ dinheiro ao vosso pai. (*pedir*)
3. _____-me as vossas toalhas. (*dar*)
4. _____ o fato de banho, mãe. (*vestir*)
5. _____ quietos! (*estar*)

6. _____ o chapéu-de-sol, meninos. (*levar*)
7. _____ todos tomar banho. (*vir*)
8. _____ o cesto para a praia. (*arranjar*)
9. _____ para a sombra. (*ir*)
10. _____ fruta. (*comer*)

## Apresentação 1

| Imperativo (negativo) | | |
|---|---|---|
| singular | | plural |
| formal | informal | formal e informal |
| Não atire! | Não **atires!** | Não atirem! |

**N.B.:** Singular informal = **singular formal + s**

### Oralidade 2

**Exemplo:**

| Atira areia! |
| Não *atires areia*! |

1. Pensa nisso.
   Não _____ .

2. Abra a janela, por favor.
   Não _____ .

3. Traz o colchão.
   Não _____ .

4. Senta-te à mesa.
   Não _____ .

5. Convida-a para a festa.
   Não _____ .

6. Façam esse exercício.
   Não _____ .

7. Põe aí a pasta, Rui.
   Não _____ .

8. Diz à Sofia.
   Não _____ .

9. Vê esse filme.
   Não _____ .

10. Feche o chapéu-de-sol.
    Não _____ .

## Apresentação 2

| Pretérito perfeito simples | |
|---|---|
| Verbo **dar** | |
| (eu) | **dei** |
| (tu) | **deste** |
| (você, ele, ela) | **deu** |
| (nós) | **demos** |
| (vocês, eles, elas) | **deram** |

## Oralidade 3

1. Eu dei
2. Tu deste
3. Você deu
4. Ele deu
5. Ela deu

6. Nós demos
7. Vocês deram
8. Eles deram
9. Elas deram

## Oralidade 4

1. — O que é que _____ à sua amiga?
   — _____-lhe uma pulseira giríssima.

2. — Quem é que me _____ estas flores?
   — Acho que foram os avós que te _____ .

3. — Vocês _____ erros na composição?
   — Não _____ muitos.

4. — _____ uma volta pelos jardins, Steve?
   — _____ e gostei muito.

5. — Vocês já me deram o dinheiro dos bilhetes?
   — Eu já _____ , mas ela ainda não te _____ .

## Oralidade 5

| Exemplo: | — Arruma o quarto. <br> — *Já o arrumei.* |
|---|---|

158

1. — Façam as camas.

— _____.

2. — Arrume o jornal.

— _____.

3. — Contem ao Steve o que aconteceu ontem.

— _____.

4. — Fala com o teu irmão.

— _____.

5. — Guarda as revistas.

— _____.

6. — Comprem os bilhetes.

— _____.

7. — Escreve aos teus pais.

— _____.

8. — Telefone ao Sr. Pinto.

— _____.

9. — Liga a televisão.

— _____.

10. — Convide os avós.

— _____.

## Texto

No Verão, a família Santos vai de férias para a Costa da Caparica. Eles têm lá uma casa mesmo ao pé da praia.

Naqueles dias em que faz realmente calor, costumam ficar o dia todo na praia. Levam sandes, fruta e a geleira cheia de refrescos. A D. Ana e o Sr. Santos preferem ficar sentados à sombra, debaixo do chapéu, mas a Sofia gosta de se deitar ao sol para ficar bem queimada. O Miguel e o Rui estão mais tempo dentro do que fora de água e, quando o mar está calmo, vão a nadar até às outras praias.

No fim do dia, ao entardecer, dão um último mergulho e vão a pé para casa ainda molhados.

# ✏️ — Vamos lá escrever!

## Compreensão 📼

1. Onde é que a família Santos passa as férias grandes?

   _____

2. O que é que eles costumam fazer quando está muito calor?

   _____

3. O que é que eles levam para a praia?

   _____

4. O Miguel e o Rui gostam de tomar banho? Justifique com uma frase do texto.

   _____

5. Quando é que eles voltam para casa?

   _____

## Escrita 1

Complete com o verbo **ficar** na forma correcta e com uma palavra/expressão do quadro:

> à sombra
> cansados
> muito queimada
> na praia até ao entardecer
> perto da praia

1. A casa de férias _____ .

2. Quando vai para a praia, a D. Ana prefere _____ .

3. Naqueles dias em que faz realmente calor, eles _____
   _____ .

4. A Sofia esteve deitada ao sol e_____ .

5. O Miguel e o Rui nadaram até às outras praias e _____ .

## Escrita 2

Conjugue os verbos no pretérito perfeito simples:

1. Quando _____ à praia, foram logo dar um mergulho. (*chegar*)

2. O Miguel e os irmãos _____ passar o dia na praia. (*resolver*)

3. Depois, a Sofia _____ ao sol e o Miguel e o Rui _____ jogar à
   bola. (*deitar-se / ir*)

4. Ontem _____ muito calor. (*estar*)

5. Por isso, _____ cedo e, depois do pequeno-almoço, _____ umas
   sandes, fruta e bebidas para pôr no cesto. (*levantar-se / arranjar*)

## Escrita 3

O que é que eles fizeram ontem?

Agora ponha as frases do exercício anterior na ordem correcta.

_____

_____

_____

_____

_____

_____

_____

_____

# Sumário

## Objectivos funcionais

| | |
|---|---|
| Dar ênfase | «Está cá um calor.» |
| Dar ordens | «Está quieto, Rui!»<br>«Não me atires areia!»<br>«... nem penses nisso.» |
| Dar uma sugestão | «Embora! Vamos todos ao banho.» |
| Expressar impaciência | «Ufa!» |
| Falar de acções passadas | «... já deste mergulhos dali...?» |

## Vocabulário

### Substantivos e adjectivos:

| | | | |
|---|---|---|---|
| a areia | o colchão | a geleira | queimado (adj.) |
| calmo (adj.) | a companhia | o mar | o refresco |
| o cesto | deitado (adj.) | o mergulho | a rocha |
| o chapéu | o entardecer | molhado (adj.) | a sombra |
| o chapéu-de-sol | a flor | a pulseira | a toalha |

### Expressões:

| | | | |
|---|---|---|---|
| à sombra | apanhar sol | Embora! | estar deitado |
| ao sol | dar mergulhos | Está cá um calor! | fazer calor |

### Verbos:

| | | | |
|---|---|---|---|
| arrumar | costumar | nadar | pensar (em) |
| atirar | | | |

«Onde é que puseste o martelo e as cavilhas?»

## Áreas gramaticais/Estruturas

Pretérito perfeito simples: **pôr**

Pronomes pessoais complemento directo: **lo(s), la(s), no(s), na(s)**

---

Advérbios: **dentro**

## Diálogo

*Steve:* Já foste comprar as pilhas para a lanterna?

*Miguel:* Não, ainda não fui.

*Steve:* Então não vás já. Ajuda-me primeiro a montar a tenda.

*Miguel:* Onde é que puseste o martelo e as cavilhas?

*Paulo:* Vê aí na minha mochila. Acho que os pus lá dentro.

*Miguel:* Temos de esticar bem as cordas por causa do vento.

*Steve:* Estou a puxá-las com toda a força.

................

*Paulo:* Pronto. A tenda já está bem presa. Querem dar uma volta pelo parque de campismo?

*Miguel:* Esperem aí. Vou só guardar a minha mochila.

# — Vamos lá falar!

### Oralidade 1

> **Exemplo:**
> — Já guardaste o martelo?
> — *Não, ainda não o guardei.*
> — *Então não o guardes já*. Vou precisar dele.

1. — Já esticaram as cordas?
   — _____ .
   — _____ . Fechem primeiro a tenda.

2. — Já arrumaste a mochila?
   — _____ .
   — _____ . Preciso de tirar a carteira.

3. — Já leram as instruções?
   — _____ .
   — _____ . Ajudem-me aqui primeiro.

4. — Já fizeste o café?
   — _____ .
   — _____ . Arranja primeiro as sandes.

5. — Já viu esse filme?
   — _____ .
   — _____ . Leia primeiro o livro.

# Apresentação 1

| Pretérito perfeito simples | |
| --- | --- |
| Verbo **pôr** | |
| (eu) | **pus** |
| (tu) | **puseste** |
| (você, ele, ela) | **pôs** |
| (nós) | **pusemos** |
| (vocês, eles, elas) | **puseram** |

## Oralidade 2

1. Eu pus
2. Tu puseste
3. Você pôs
4. Ele pôs
5. Ela pôs
6. Nós pusemos
7. Vocês puseram
8. Eles puseram
9. Elas puseram

## Oralidade 3

1. — Onde é que tu _____ o martelo?
   — Acho que o _____ na minha mochila.
2. — _____ tudo no saco, meninos?
   — _____ .
3. Eles _____ os casacos e saíram.
4. — A senhora _____ as cartas em cima da minha secretária?
   — _____, sim.
5. O Steve _____ a mochila às costas e foi-se embora

# Apresentação 2

| A | Formas verbais terminadas em: | Pronomes pessoais |
| --- | --- | --- |
| | | complemento directo |
| | | as formas -**lo**/-**la**/-**los**/-**las** |
| | -ŕ -ś -ź | + l<o a os as |

## Oralidade 4

1. Vou ve**r os meus amigos**.
   Vou vê-**los**.
2. Tu paga**s a conta**.
   Tu paga-**la**.
3. Ela tra**z o carro**.
   Ela trá-**lo**.

**N.B.:**

4. Ele que**r a caneta**.
   Ele quer**e-a**.
5. Tu ten**s o meu livro**.
   Tu tem-**lo**.

| B | Formas verbais terminadas em: | Pronomes pessoais |
|---|---|---|
| | | complemento directo |
| | | as formas **-no**/**-na**/**-nos**/**-nas** |
| | **-ão** | o |
| | **-m** | + n < a |
| | **-õe** | os |
| | | as |

## Oralidade 5

1. Eles d**ão as revistas** à mãe.
   Eles d**ão-nas** à mãe.

2. A Sofia p**õe a mesa**.
   A Sofia p**õe-na**.

3. Elas toma**m o pequeno-almoço** às oito.
   Elas toma**m-no** às oito.

## Oralidade 6

**Exemplo:** Estou a puxar <u>as cordas</u> com toda a força.
*Estou a puxá-las com toda a força.*

1. Podes guardar <u>o martelo e as cavilhas</u>._____.

2. Tens <u>a carteira</u> na mochila?_____?

3. Ajuda-me a montar <u>a tenda</u>. _____.

4. Estou a esticar <u>as cordas</u>._____.

5. Põe <u>o saco-cama</u> lá dentro. _____.

6. Puseram <u>os casacos</u> e foram dar uma volta. _____.

7. Fechem <u>a porta</u> à chave. _____.

8. Eles dão <u>os bilhetes</u> ao empregado. _____.

9. Faz <u>o café</u> primeiro. _____.

10. Vês <u>o filme</u> connosco? _____?

165

## Texto

O pai do Miguel deu-lhe uma tenda pelo aniversário. Como ele fez anos em Janeiro, ainda não teve oportunidade de estreá-la. Vai aproveitar as férias da Páscoa, que este ano calham no fim de Abril, para ir acampar com o Steve e o Paulo para o Algarve. Normalmente nesta altura do ano o tempo já está bom e os parques não estão muito cheios, porque há pouca gente de férias.

Partiram de Lisboa à boleia no sábado de manhã com um lindo dia de sol. Mas tiveram muito azar. Logo na primeira noite caiu uma enorme carga de água e durante todo o dia seguinte choveu. Bem diz o povo: «Abril, águas mil».

No entanto nem tudo foram desgraças. O tempo melhorou e conheceram um grupo de escoceses, mais ou menos da idade deles, com quem passaram a maior parte dos dias — o Miguel e o Paulo praticaram o inglês e o Steve matou saudades da língua dele.

# — Vamos lá escrever!

## Compreensão

1. O que é que o Miguel recebeu no dia de anos?
   _____

2. Porque é que ele ainda não a estreou?
   _____

3. Porque é que eles resolveram ir acampar nas férias da Páscoa?
   _____

4. Como é que eles foram para o Algarve?
   _____

5. Estiveram os três sozinhos durante esses dias? Justifique.
   _____

## Escrita 1

Explique, por palavras suas, o sentido das seguintes frases:

1. O Miguel ainda não teve oportunidade de estrear a tenda.
   _____

2. Este ano as férias da Páscoa calharam em Abril.
   _____

3. Logo na primeira noite caiu uma enorme carga de água.
   _____

4. Bem diz o povo: «Abril, águas mil».
   _____

5. O Steve matou saudades da língua dele.
   _____

## Escrita 2

| Como | mas |
|------|-----|
| desde que | no entanto |
| enquanto | porque |

1.  O Miguel tem uma tenda nova. Ainda não a estreou.
    *O Miguel tem uma tenda nova, mas ainda não a estreou.*

2.  Há pouca gente de férias. Os parques de campismo não estão muito cheios.

    _____

3.  No primeiro dia esteve sempre a chover. No segundo o tempo já melhorou.

    _____

4.  Tiveram muito azar. Logo na primeira noite caiu uma enorme carga de água.

    _____

5.  Já passaram três meses. O Miguel recebeu a tenda.

    _____

# Sumário

## Objectivos funcionais

| | |
|---|---|
| Dar uma sugestão | «Querem dar uma volta pelo parque de campismo?» |
| Falar de acções passadas | «Onde é que puseste o martelo e as cavilhas?» |
| Recomendar | «Então não vás já.» |

## Vocabulário

### Substantivos e adjectivos:

| | | | |
|---|---|---|---|
| o aniversário | as costas | a língua | a pilha |
| a carga (de água) | enorme (adj.) | o martelo | preso (adj.) |
| a carteira | o escocês | a mochila | o saco-cama |
| a cavilha | a força | a oportunidade | as saudades |
| a chave | o grupo | o parque | a tenda |
| cheio (adj.) | a lanterna | (de campismo) | o vento |
| a corda | | | |

### Expressões:

| | | | |
|---|---|---|---|
| a maior parte de | fechar à chave | matar saudades (de) | ir-se embora |
| cair uma carga de água | mais ou menos | montar a tenda | ter oportunidade (de) |
| estar preso | | | |

### Verbos:

| | | | |
|---|---|---|---|
| acampar | esticar | matar | montar |
| calhar | estrear | melhorar | puxar |
| chover | | | |

# «Mostrámos-te tudo o que pudemos.»

## Áreas gramaticais/Estruturas

Pretérito perfeito simples: | **poder**

Pronomes pessoais
complemento circunstancial: | **mim, ti, si**

---

Advérbios: | **imediatamente, particularmente**
Locuções adverbiais: | **além disso**

## Diálogo

*Rui:* Que pena, Steve! Já te vais embora hoje.

*Steve:* Pois é. Passou tão depressa... Mas valeu a pena. O meu português melhorou bastante e além disso fiz bons amigos em Portugal.

*Sofia:* E nós gostámos muito de te ter cá. Mostrámos-te tudo o que pudemos.

*Steve:* Acho que vou ter saudades disto.

*Miguel:* Deixa lá. No próximo ano sou eu que vou para os Estados Unidos. O meu pai já disse que sim.

*Steve:* Que bom!

*D. Ana:* Toma, Steve. Estão aqui estas lembranças para ti e para os teus pais com os cumprimentos da família Santos.

*Steve:* Muito obrigado a todos.

*Miguel:* Então vamos descer. O pai já está no carro à nossa espera.

# — Vamos lá falar!

## Oralidade 1

**Exemplo:**
— Quem é que vai para os Estados Unidos?
— ***Sou*** eu que ***vou***.

1. — Quem é que fez este trabalho?
   — _____ nós que _____ .
2. — Quem é que mexeu na minha caneta?
   — _____ eu que _____ .
3. — Quem é que partiu o vidro?
   — _____ o Rui que _____ .
4. — Quem é que vai ao supermercado?
   — _____ tu que _____ .
5. — Quem é que leu o texto na última aula?
   — _____ eu que _____ .
6. — Quem é que viu o acidente?
   — _____ eles que _____ .
7. — Quem é que traz as bebidas?
   — _____ nós que _____ .
8. — Quem é que pôs a mesa?
   — _____ eu que _____ .
9. — Quem é que quis vir a este restaurante?
   — _____ elas que _____ .
10. — Quem é que guardou o jornal?
    — _____ eu que _____ .

## Apresentação 1

| Pretérito perfeito simples | |
|---|---|
| Verbo **poder** | |
| (eu) | **pude** |
| (tu) | **pudeste** |
| (você, ele, ela) | **pôde** |
| (nós) | **pudemos** |
| (vocês, eles, elas) | **puderam** |

## Oralidade 2 🔲

| | | |
|---|---|---|
| 1. Eu pude | 4. Ele pôde | 7. Vocês puderam |
| 2. Tu pudeste | 5. Ela pôde | 8. Eles puderam |
| 3. Você pôde | 6. Nós pudemos | 9. Elas puderam |

## Oralidade 3 🔲

1. Eles não _____ ir porque tiveram muito trabalho.

2. Eu não _____ telefonar-te porque perdi o número.

3. Nós _____ assistir à estreia porque o Miguel arranjou bilhetes.

4. Porque é que tu não _____ vir ontem ao jogo?

5. Já não se _____ ir ao Norte porque não houve tempo.

# Apresentação 2

| Preposições | pronomes pessoais | |
|---|---|---|
| | complemento circunstancial | |
| de | **mim** | (eu) |
| em | **ti** | (tu) |
| para | | |
| por | **si** | (você) |
| sobre | | (o senhor) |
| ... | | (a senhora) |

**N.B.:** restantes formas = **pronome pessoal sujeito/tratamento**.

## Oralidade 4 🔲

| | |
|---|---|
| 1. Isto é para **mim**. | 7. Isto é para **vocês**, Miguel e Steve. |
| 2. Isto é para **ti**, Rui. | 8. Isto é para **os senhores**, Dr. Lemos e Dr. Silva. |
| 3. Isto é para **si**, Sr. Santos. | 9. Isto é para **as senhoras**, D. Ana e D. Rosa. |
| 4. Isto é para **ele**. | 10. Isto é para **eles**. |
| 5. Isto é para **ela**. | 11. Isto é para **elas**. |
| 6. Isto é para **nós**. | |

## Oralidade 5 🔲

**Exemplo:** | Estão aqui estas lembranças para *ti*, Steve.

1. Esperem por _____. Estou quase pronto.

2. Chegaram estas cartas para _____, Dr. Lemos.

3. Ainda não falámos de _____, Juan.

4. Trouxe estes presentes para _____, meninos.

5. Esta encomenda é para _____, D. Ana.

6. Eles não esperaram por _____, por isso tivemos de ir de táxi.

7. Estiveram a conversar sobre _____ e a minha situação na firma.

8. Pensámos em _____ e comprámos-te este ramo de flores.

9. D. Dulce e D. Rosa, estão aqui estas revistas para _____.

10. O Manuel faz anos amanhã. Esta prenda é para _____.

## Oralidade 6 🔲

**Exemplo:**
| Vieste com o Miguel? |
| *Vieste com ele*? |

1. Levaram a Sofia a casa?

   _____?

2. Escreveste aos teus pais?

   _____?

3. Já compraste o jornal?

   _____?

4. Queres vir comigo e com o Rui?

   _____?

5. Posso convidar a Teresa e o Paulo?

   _____?

6. Telefonou à minha mulher, D. Ana?

   _____?

## 🔲 Texto

    O Steve está na sala de embarque do Aeroporto da Portela à espera da chamada para o avião. Contente por ir rever a família, mas triste por deixar Portugal que já considera um segundo país, recorda este último ano: de todos os sítios que visitou ficou particularmente encantado com a zona do Zêzere, a região do Gerês e, claro está, a beleza das praias algarvias; os momentos felizes que passou em companhia dos rapazes e raparigas que cá conheceu e de quem ficou amigo; a família Santos que tão bem o acolheu e que ele nunca há-de esquecer.

    Sabe, no entanto, que vai poder retribuir toda esta hospitalidade, pois o Miguel vai estudar para os Estados Unidos no ano que vem e a família Harris já o convidou para ficar lá em casa.

# — Vamos lá escrever!

## Compreensão 🔲

1.  Onde é que o Steve está neste momento?

    _____

2.  Em que é que está a pensar, enquanto espera pela chamada para o avião?

    _____

3.  De todos os sítios que visitou, de quais é que gostou mais?

    _____

4.  De toda a gente que conheceu, de quem é que se há-de lembrar sempre?

    _____

5.  O Steve vai ter oportunidade de retribuir a maneira como a família Santos o tratou? Justifique.

    _____

## Escrita 1

| ano que vem | estar à espera |
|---|---|
| em companhia | gostar imenso |
| esquecer-se | ter oportunidade |

1.  O Miguel vai estudar para os Estados Unidos no próximo ano.
    *O Miguel vai estudar para os Estados Unidos no ano que vem.*
2.  O Steve recorda os bons momentos que passou com tantos amigos que fez em Portugal.

    _____

3.  O Steve ficou encantando com a região do Gerês.

    _____

4.  Ele vai poder retribuir a hospitalidade da família Santos.

    _____

5.  Ele há-de lembrar-se sempre do ano que passou em Portugal.

    _____

6.  O Steve esperou pelos pais à porta do aeroporto.

    _____

## Escrita 2

Complete com preposições ( + artigos) e verbos no pretérito perfeito simples:

O avião _____ Steve _____ (*chegar*) _____ Boston antes _____ hora prevista. Como não _____ (*ver*) os pais _____ aero-porto, _____ (*resolver*) telefonar _____ casa, mas já ninguém _____ (*atender*). No entanto não _____ (*ter*) _____ esperar muito _____ eles. _____ (*chegar*) cinco minutos depois e quando _____ (*ver*) o filho _____ porta _____ aeroporto _____ (*ficar*) admirados, mas muito felizes pois _____ (*poder*) abraçá-lo imediatamente.

Já _____ casa, o Steve _____ (*dar*)-lhes as lembranças que _____ (*trazer*) _____ Portugal e _____ jantar _____ (*con-versar*) _____ a família Santos e todos os amigos que _____ (*fazer*) _____ Lisboa.

# Sumário

## Objectivos funcionais

| | |
|---|---|
| Dar ênfase | «... sou eu que vou para os Estados Unidos.» |
| Dar os cumprimentos | «... com os cumprimentos da família Santos.» |
| Expressar contentamento | «Que bom!» |
| Expressar tristeza | «Passou tão depressa...» |
| Falar de acções passadas | «Mostrámos-te tudo o que pudemos.» |

## Vocabulário

### Substantivos e adjectivos:

| | | | |
|---|---|---|---|
| admirado (adj.) | a encomenda | a lembrança | a rapariga |
| o Aeroporto da Portela | feliz (adj.) | a maneira | o rapaz |
| algarvio (adj.) | a firma | a pena | a região |
| a beleza | o Gerês | previsto (adj.) | a sala de embarque |
| os cumprimentos | a hospitalidade | o ramo | a zona |

### Expressões:

| | | | |
|---|---|---|---|
| arranjar bilhetes | em companhia de | ficar ⎰ admirado | o ano que vem |
| claro está | estar à espera | ⎱ amigo (de) | Toma, (Steve). |
| com os cumprimentos de | fazer amigos | | ter saudades (de) |
| dizer que sim | | | valer a pena |

### Verbos:

| | | | |
|---|---|---|---|
| abraçar | considerar | retribuir | valer |
| acolher | recordar | rever | |

## I - Qual a expressão correcta?

| | |
|---|---|
| Com os cumprimentos | Pois não |
| Embora | Que bom |
| Espera aí | Que pena |
| Está cá um calor | Toma lá |
| Pois é | Um bocado |

1. — Tens uma caneta preta?
   — Tenho. _____.

2. — Esperaram muito por mim?
   — _____.

3. — Vamos ao banho?
   — Vamos! _____!

4. — Aqui tens estas lembranças, _____ da família Santos.
   — Muito obrigado.

5. — Pela ponte o caminho é mais curto.
   — _____.

6. — O meu pai disse que eu posso ir para os Estados Unidos, Steve.
   — _____!

7. — Querem ir dar uma volta?
   — _____!

8. — Então hoje não houve aulas, hem!
   — _____.

9. — Já estás pronto?
   — _____. Vou só pôr o casaco.

10. — Está a chover muito. Não podemos ir jogar.
    — _____!

## II - Conjugue no pretérito perfeito simples:

| |
|---|
| dar / dizer / haver / ir / poder / pôr / saber / ter / vir |

1. — Já _____ que ontem não _____ aulas.
   — Quem é que te _____?

2. — Chegaste tão cedo?!
   — _____ com o Miguel; ele _____-me boleia.

3. — Porque é que não _____ connosco ao cinema?

— Não _____. _____ de estudar.

4. — Onde é que _____ o relatório, D. Ana?

— _____-lo em cima da sua secretária.

5. — Que caminho é que vocês fizeram?

— Para lá _____ pela estrada velha, para cá _____ pela auto-estrada.

## III - Complete com as seguintes preposições (com ou sem artigo):

> **de/para/por**

1. Quando saiu _____ aeroporto, o Steve ainda teve _____ esperar _____ pais.

2. Paguei 2.500$00 _____ dicionário _____ português.

3. Precisamos _____ dinheiro _____ os bilhetes.

4. Devo estar _____ volta _____ 18:30.

5. A camioneta _____ Tomar passa _____ Víla Franca.

6. O Steve há-_____ voltar _____ matar saudades _____ amigos.

7. Soubemos _____ acidente _____ Paulo _____ irmã dele.

8. Mandei a encomenda _____ avião _____ chegar mais depressa.

9. Falaram _____ família Santos e _____ todos os lugares _____ onde o Steve passou.

10. Preciso _____ cartas prontas _____ amanhã.

## IV - Complete com os pronomes pessoais:

1. Está aqui uma carta para _____, Dr. Lemos.

2. Já comprámos os bilhetes. Comprámo-_____ hoje de manhã.

3. O Paulo também quer ir. Podes dar-_____ boleia?

4. As torradas estão prontas. Comam-_____ enquanto estão quentes.

5. Não conseguimos fazer o exercício sozinhos, mas a professora ajudou-_____.

6. Ainda não li essa revista. Vou lê-_____ hoje à tarde.

7. Estiveram a falar de _____ e do meu acidente.

8. Despe o casaco e põe-_____ no teu quarto.

9. Comprei-_____ estes ténis porque os vossos já estão velhos.

10. Não quero os livros em cima da mesa. Guardem-_____ na pasta.

## V - Complete com os verbos no imperativo:

A D. Ana está a falar com o Rui:

1.  Rui, não _____ a camisola, porque está muito frio. *(despir)*

2.  Não _____ nessa cadeira que está partida. *(sentar-se)*

3.  Não _____ barulho que os teus irmãos estão a estudar. *(fazer)*

4.  Não _____ de pé em cima da cama. *(estar)*

5.  Não _____ esse livro que não é para a tua idade. *(ler)*

6.  Não _____ a pasta em cima da mesa. *(pôr)*

7.  Não _____ o dinheiro que eu te dei. *(perder)*

8.  Não _____ tarde para casa. *(vir)*

9.  Não _____ a bola para a sala. *(trazer)*

10. Não _____ para a rua que já é quase noite. *(ir)*

## VI - Qual a palavra correcta?

| A | B | C |
|---|---|---|
| carteira<br>cesto<br>geleira<br>mochila | auto-estrada<br>caminho<br>estrada<br>rua | gente<br>pessoas<br>povo<br>público |

### A

1.  Guardou as coisas na _____, pô-la às costas e foi à boleia para o Algarve.
2.  Perdi a minha _____ com o dinheiro e os documentos todos.
3.  A Sofia pôs os refrescos e a fruta na _____ para levar para a praia.
4.  O Miguel e o Steve guardaram as toalhas de praia no _____.

### B

1.  Para ir para Tomar, o senhor segue sempre por esta _____.
2.  Este autocarro passa pela minha _____.
3.  Por Vila Franca, o _____ é mais curto.
4.  A _____ Lisboa/Porto está pronta em 1990.

### C

1.  O Zé Povinho é o símbolo do _____ português.
2.  No Carnaval há muita _____ nas ruas.
3.  Quando há jogos importantes, há sempre muito _____ a assistir.
4.  O Steve gostou de todas as _____ que conheceu em Portugal.

# TESTE

— **GRAMÁTICA**

1. _____ é a sua profissão?

   a) como      b) de quem      c) qual      d) o que

2. —_____ é que vocês vieram?
   — Pela ponte.

   a) onde      b) por onde      c) de onde      d) para onde

3. De quem é _____ jornal aí?

   a) isto      b) este      c) esse      d) aquele

4. Já não está _____ no escritório a esta hora.

   a) alguém      b) algum      c) nenhum      d) ninguém

5. Os bolinhos estão na mesa. Comam-_____ enquanto estão quentes.

   a) nos      b) eles      c) os      d) los

6. A Teresa hoje não foi às aulas. Vou telefonar para saber o que é que _____ aconteceu.

   a) a      b) ela      c) lhe      d) la

7. Porque é que não esperaste _____? Fui só comprar o jornal.

   a) comigo      b) por mim      c) me      d) eu

8 Gostei imenso desse filme. Foi _____.

   a) muito bem      b) maior      c) melhor      d) óptimo

9. O castelo e a igreja são do século XII.
   A igreja é _____ antiga _____ o castelo.

   a) mais... que      b) tão... como      c) tanta... como      d) menos... que

10. O Miguel é o filho _____.

   a) mais velho      b) muito velho      c) velho      d) velhíssimo

11. Ele é _____ Porto, mas vive _____ Lisboa.

   a) de... na      b) no... de      c) do... em      d) de... em

12. Mando-te a carta _____ avião _____ chegar mais depressa.

   a) pela... para      b) por... a      c) do... para      d) por... para

13. — Vais já _____ casa?
    — Não, vou só _____ casa almoçar.

   a) para... a      b) em... para      c) a... em      d) a... para

14. _____ sábado _____ manhã parto para os Estados Unidos.

   a) ao... de      b) em... à      c) no... de      d) no... da

15. Ele faz anos _____ 21 _____ Julho.

   a) em... no      b) no... de      c) a... em      d) a... de

16. O senhor segue _____ esta rua e vira ao fundo _____ direita.

    a) pela... à      b) por... à      c) para... a      d) por... da

17. Não _____ ouvir nada. Importa-se de falar mais alto?

    a) consigo      b) posso      c) sei      d) estou

18. Normalmente o café aqui _____ óptimo, mas hoje não _____ muito bom.

    a) está... é      b) está... tem      c) é... está      d) é... há

19. O Sr. Santos _____ o jornal todas as manhãs.

    a) está a ler      b) leio      c) li      d) lê

20. Ele gostou tanto da região que _____ lá voltar.

    a) há-de      b) houve      c) há      d) hás-de

21. Ontem nós _____ o Jorge no café.

    a) viemos      b) vimos      c) vemos      d) vamos

22. Vocês _____ connosco ao cinema?

    a) vêem      b) vem      c) vêm      d) vimos

23. A D. Ana _____ fora todos os dias. Neste momento _____ no restaurante.

    a) está a almoçar... almoça      b) almoça... está a almoçar
    c) almoço... está a almoçar      d) almoça... estou a almoçar

24. _____ os casacos e _____ as pastas no quarto!

    a) despem... põem      b) dispam... ponham
    c) despiram... puseram      d) dispa... ponha

25. Já não há fruta. _____ ir comprar mais.

    a) é preciso      b) vou      c) estou      d) tem

26. Não _____ barulho, Rui, que os teus irmãos estão a estudar!

    a) fazes      b) faz      c) fizeste      d) faças

27. Ontem não _____ aulas.

    a) há      b) houve      c) temos      d) ouve

28. Amanhã eles _____ visitar o museu.

    a) têm      b) estão      c) vão      d) são

29. Já passou um ano _____ ele partiu o braço.

    a) quando      b) desde      c) enquanto      d) desde que

30. Eu e _____ pais moramos em Lisboa.

    a) as nossas      b) as minhas      c) os meus      d) o nosso

## B — VOCABULÁRIO

1. O Sr. e a Sra. Harris são de Boston. Eles são _____.

   *a)* americano    *b)* americanas    *c)* americanos    *d)* americana

2. Conheceram um grupo de escoceses e estiveram sempre a falar _____ com eles.

   *a)* inglês    *b)* ingleses    *c)* inglesa    *d)* inglesas

3. A Madalena dá aulas de português. Ela é _____.

   *a)* aluna    *b)* professora    *c)* recepcionista    *d)* professor

4. A D. Ana telefonou para _____ de viagens e fez as reservas.

   *a)* o consultório    *b)* o restaurante    *c)* o teatro    *d)* a agência

5. Pagámos três _____ pelo jantar.

   *a)* contas    *b)* escudos    *c)* contos    *d)* conto

6. — Está? É de casa da Luísa?
   — Sim, sim. É _____.

   *a)* a própria    *b)* eu    *c)* engano    *d)* com licença

7. A mãe dele telefonou para o consultório e marcou uma _____ para o Dr. Silva.

   *a)* chamada    *b)* visita    *c)* reserva    *d)* consulta

8. Quando chegaram ao parque de campismo, foram logo montar a _____.

   *a)* mochila    *b)* tenda    *c)* mala    *d)* pasta

.9 — Que deseja?
   — Queria uma _____ de escalopes de vitela, por favor.

   *a)* dose    *b)* posta    *c)* doze    *d)* fatia

10. Põe o chapéu na _____ que o sol está muito quente.

    *a)* testa    *b)* boca    *c)* cabeça    *d)* mão

11. Não querem vir tomar _____? Está cá um calor!

    *a)* sol    *b)* sombra    *c)* mergulho    *d)* banho

12. Muitos _____, Teresa. Quantos anos fazes?

    *a)* parabéns    *b)* presentes    *c)* cumprimentos    *d)* anos

13. O dia 5 de Outubro é _____ nacional.

    *a)* férias    *b)* estação    *c)* feriado    *d)* época

14. O Rui bebe um _____ de leite ao pequeno-almoço.

    *a)* chávena    *b)* copo    *c)* garoto    *d)* galão

15. Hoje não está frio. Está um dia _____.

    *a)* calor    *b)* feia    *c)* quente    *d)* boa

16. — Muito obrigado pela sua ajuda.
    —_____.

    a) não faz mal    b) deixa lá    c) se faz favor    d) de nada

17. — Queria abrir uma conta à ordem.
    — Faz favor de _____ este impresso.

    a) preencher    b) passar    c) escrever    d) requisitar

18. Dezembro é o último _____ do ano.

    a) data    b) mês    c) dia    d) semana

19. O Porto é uma _____ portuguesa.

    a) região    b) zona    c) cidade    d) país

20. Pode pagar na caixa e depois levanta o embrulho com o _____.

    a) conta    b) lista    c) factura    d) talão

21. — Amanhã já me vou embora.
    —_____! Gostámos tanto de te ter cá.

    a) ainda bem    b) que pena    c) que bom    d) óptimo

22. O Steve esteve em Portugal a tirar _____ de português para estrangeiros.

    a) uma aula    b) uma escola    c) um curso    d) uma turma

23. Março é o _____ mês do ano.

    a) treze    b) três    c) terça    d) terceiro

24. São 09:30. A reunião começa às 10:00. Só falta _____ hora para começar.

    a) metade da    b) metade    c) meia    d) um quarto de

25. Ele parte para o Brasil na semana _____.

    a) próxima    b) que vai    c) última    d) que vem

26. Trouxe bolos para o _____, mas temos de esperar pelo Rui que só vem às 16:00.

    a) lanche    b) almoço    c) pequeno-almoço    d) jantar

27. Este ano a família Santos vai _____ as férias grandes na Madeira.

    a) passar    b) tomar    c) gastar    d) reservar

28. Estou cheio de _____! Não há nada para comer?

    a) sono    b) fome    c) frio    d) sede

29. Estou com dores de cabeça. Vou tomar um _____.

    a) hospital    b) médico    c) comprimido    d) doente

30. Essas _____ ficam-te muito bem, Miguel. São novas?

    a) saias    b) ténis    c) casacos    d) calças

# APÊNDICE GRAMATICAL

## Plural dos substantivos e adjectivos

### 1. Terminados em:

#### 1.1. **Vogal** ou **ditongo** (excepto - ão)

| | |
|---|---|
| mes**a** — mesa**s** | irm**ã** — irmã**s** |
| cidad**e** — cidade**s** | p**é** — pé**s** |
| táx**i** — táxi**s** | m**ãe** — mãe**s** |
| livr**o** — livro**s** | m**au** — mau**s** |
| per**u** — peru**s** | c**éu** — céu**s** |

#### 1.2. **Ditongo - ão**

1.2.1. irm**ão** — irm**ãos** / m**ão** — m**ãos**

1.2.2. alem**ão** — alem**ães** / p**ão** — p**ães**

1.2.3. esta**ção** — esta**ções** / tost**ão** — tost**ões**

#### 1.3. **Consoante**

1.3.1. **- l**

1.3.1.1. **- al**: jorn**al** — jorn**ais**

1.3.1.2. **- el**: hot**el** — hot**éis** / past**el** — past**éis** / possív**el** — possív**eis**

1.3.1.3. **- il**: difíc**il** — difíc**eis** / fác**il** — fác**eis**

1.3.1.4. **- ol**: espanh**ol** — espanh**óis**

1.3.1.5. **- ul**: az**ul** — az**uis**

1.3.2. **- m**

bo**m** — bo**ns** / home**m** — home**ns** / jardi**m** — jardi**ns**

1.3.3. **- r**

co**r** — cor**es** / luga**r** — lugar**es** / mulhe**r** — mulher**es**

1.3.4. **- s**

1.3.4.1. lápi**s** — lápi**s**

1.3.4.2. paí**s** — paí**ses** / portugu**ês** — portugue**ses**

1.3.5. **- z**

feli**z** — feliz**es** / rapa**z** — rapaz**es** / ve**z** — vez**es**

# APÊNDICE LEXICAL

Esta lista apresenta apenas o vocabulário activo constante nas unidades, isto é, o vocabulário dos **Diálogos,** das **Apresentações,** das **Oralidades,** dos **Textos** e das **Escritas.** Assim, o vocabulário passivo apresentado nos documentos autênticos, nas **Áreas gramaticais/Estruturas** ou no **Sumário** não se encontra listado. O vocabulário passivo pode, no entanto, ser utilizado pontualmente, quer nas **Apresentações**, quer nos execícios orais e escritos. Não figuram ainda quaisquer formas verbais, salvo as usadas como «expressão».

O número indicado à frente das palavras/expressões refere-se à(s) Unidade(s) em que estas aparecem. Quando há mais do que um número para a mesma palavra/expressão o(s) destacado(s) assinala(m) a unidade em que esta foi trabalhada.

## VOCABULÁRIO

### A

| | | | | | | | |
|---|---|---|---|---|---|---|---|
| a | **1**, 4, 5, **6**, 9 **10**, 14 | almoçar | 5 | arranjar | 5, 20 | bancário | 12 |
| abaixo | 13 | o almoço | 5 | o arranjo | 16 | o banco | 4 |
| abraçar | 20 | alto | 7, **8** | a arrecadação | 13 | a bandeira | 4 |
| Abril | **5** | a altura | 8, 11 | o arroz | 5 | o banho | 9, 15 |
| abrir | **7, 9, 13** | alugar | 15 | a arrumação | 13 | barato | 8 |
| absolutamente | 13 | o aluno | 1 | arrumar | 18 | o barco | 10 |
| acabar | 6 | amador | 11 | a arte | 17 | a barriga | 14 |
| acampar | 19 | amanhã | 3 | o artigo | 13 | o barulho | 7 |
| a acção | 17 | amarelo | **4** | o artista | 17 | o basquetebol | 11 |
| achar (de) | 7 | amargo | 15 | artístico | 17 | bastante | 7 |
| o acidente | 13 | ambas | 7 | a árvore | 15 | a batata | 5 |
| acolher | 2Ô | o ambiente | 15 | assado | 5 | o batido | 6 |
| acontecer | 13 | americano | 1 | assíduo | 11 | o bebé | 13 |
| acordar | 12 | o amigo | 2 | assim | 8 | beber | **5** |
| os Açores | 9 | o ananás | 9 | assinar | 12 | a bebida | 6 |
| actualmente | 11 | o andar | 7 | assistir (a) | 11 | o beijinho | 15 |
| o adepto | 11 | andar | **3** | o assunto | 12 | a beleza | 20 |
| adeus | 3 | ~ (a) | 13 | até | 3, **8** | belga | 1 |
| admirado | 20 | ~ (de) | 5, 10 | a atenção | 8 | a Bélgica | 1 |
| o admirador | 17 | ~ (em) | 3 | atender | **14** | bem | 2 |
| adorar | 16 | o andebol | 11 | atentamente | 7 | bem-vindo | 2 |
| o advogado | 1 | animado | 15 | atirar | **18** | o Benfica | 11 |
| o aeroporto | 10 | o aniversário | 19 | atrás (~ de) | **4**, 11 | a biblioteca | 9 |
| ~ da Portela | 20 | o ano | **5** | atrasado | 12 | a bica | 6 |
| afinal | 17 | anotar | 12 | o atraso | 8 | a bicha | 12 |
| a agência | 10 | anteontem | 11 | atravessar | **8** | a bicicleta | 3 |
| a agenda | 12 | anterior | 11 | a aula | 3 | o bife | 5 |
| agitado | 11 | antes (~ de) | 7, 9, 17 | a Austrália | 11 | o bilhete | 10 |
| agora | 4 | antigo | 7 | a Áustria | 1 | o Boavista | 11 |
| Agosto | **5** | antipático | 15 | austríaco | 1 | a boca | **13** |
| agradável | 15 | aonde | 8 | a auto-estrada | 16 | o bocadinho | 3 |
| agradecer | 6 | apanhar | 5, 18 | o autocarro | 5 | o bocado | 16 |
| os agriões | 9 | a aparelhagem | 6 | a avaria | 17 | a bola | 4 |
| a água | 5 | o aparelho | 14 | a avenida (Av.) | **8** | a boleia (à ~) | 10 |
| ah! | 6 | o apartamento | 3 | ~ de Roma | 12 | o bolinho | 6 |
| aí | **3** | apenas | 11 | ~ E.U.A. | 8 | o bolo | 5 |
| ainda | **9** | apetecer | 7 | ~ João XXI | 8 | o bolso | 12 |
| a ajuda | 9 | aprender | 5 | o avião | 10 | bom, boa | 1, 3, 5, **8**, **11** |
| ajudar | 14 | apropriado | 7 | o avô, a avó, os avós | 2 | bonito | 7 |
| além disso | 20 | aproveitar | 11, 15 | o azar | 13 | a borracha | 3 |
| a Alemanha | 1 | aproximadamente | 10 | azul | **4** | Boston | 2 |
| alemão | 1 | aquecer | **5** | | | o braço | **13** |
| a alface | 9 | aquele(s), aquela(s) | **3** | **B** | | branco | **4** |
| a alfândega | 11 | aqui | **3** | | | branquinho | 9 |
| o Algarve | 2 | aquilo | **3** | o bacalhau | 5 | o Brasil | 1 |
| algum(ns), alguma(s) | 8, **9** | a área | 11 | a Baixa | 10 | brasileiro | 1 |
| alguém | **9** | a areia | 18 | baixar | 12 | brincar | 5 |
| algarvio | 20 | o armário | 4 | baixo (em ~) | 7, 12 | buscar (ir ~) | 10 |
| ali | **3** | o arquitecto | 1 | a banana | 9 | | |
| | | | | a banca | 9 | | |

# C

cá 8, 12
a cabeça **13**
o cabelo **13**
o cacho 9
cada 11
a cadeira 3
o caderno 3
o café 5
a caixa 7, 8
cair **8**, 13
as calças 7
calhar 8, 19
calmo 18
o calor 9
a cama 4
o caminho 8
a camioneta 10
a camisa 7
a camisola 7
o campeão 11
o campo 11, 17
    ~ de futebol 5
    ~ Pequeno 8
o Canadá 9
a caneta 3
cansado **8**
cansativo 11
a carga 19
a caricatura 17
caricaturado 14
o caricaturista 17
a carne 5
caro **8**
a carreira 15
o carro 4
a carta 5
a carteira 19
o carvão 4
a casa 4
    ~ de banho 9
o casaco 7
Cascais 8
o caso 6
castanho **4**
o castelo 8
    ~ de S. Jorge 11
catorze **3**
a causa (por ~ de) 4
a cavilha 19
cedo 6, **8**
cem **5**
a cenoura 5, 9
o centavo 7
cento **7**
o centro 15
a cerâmica 17
certas 14
a certeza 7
o cesto 18
o céu 4
o chá 5
a chamada 11, 20
chamar 13
    ~ -se **1**
o champanhe 14
o chão 9

a chapa 12
o chapéu 18
    ~ -de-chuva 13
    ~ -de-sol 18
a chave 19
a chávena 5
chegar 10
    ~ (a) 6, 16
cheio 5, 18, 19
o cheque 10, **12**
o chocolate 5
chover 19
a chuva 4
a cidade 11
as Ciências 3
o cigarro 8
cima (em ~ de) **4**
o cinema 8
cinco **3**
cinquenta **5**
cinzento **4**
claro 3, 6
o cliente 10
o clube 5
Coimbra 5
a coisa 6
coitado 8
o colchão 18
o colega 3
com 5, **14**
combinar 14
o comboio 10
começar **12**
comer **5, 9, 13**
comercial 2
cómico 14
a comida 14
comigo **14**
como 1, 5
a companhia 18
completamente 8
a composição 17
comprar 7, 16
as compras 8
compreender 5
comprido 8
o comprimido 13
o concerto 8
concordar (com) 8
o concurso 11
conduzir 16
confirmar 10
conhecer 5
connosco **14**
conseguir **7**
considerar 20
consigo **14**
a consoada 15
a construção 11
a consulta 13
o consultório 13
a conta 6, **12**
contar 8
    ~ (com) 14
contemporâneo 17
contente 6

contigo **14**
o conto **7**
o contrário (ao ~ de) 7
contudo 17
o convento 15
    ~ de Cristo 15
a conversa 14
conversar 6
    ~ (sobre) 16
o convidado 6
convidar 8
convosco **14**
o copo 5
a cor 4
    ~ -de-laranja **4**
    ~ -de-rosa **4**
a corda 19
o corpo **13**
o correio 4, 16
correr 5
corrigir 9
cortar **8**
a Costa da Caparica 8
as costas 19
a costeleta 5
costumar 18
o costume (de ~) 10
a cotação 12
o cotovelo **13**
a couve 9
cozer 9
cozido 5
a cozinha 5
creditar **12**
criar 17
crítico 17
cuidado! 8
cultural 17
os cumprimentos 20
o curso 11
curto 8
custar 7

# D

dançar 6
dar **9, 10, 18**
a data 6
de 1, **6, 10**
debaixo (~ de) **4**
debitar **12**
decidir **7**
    ~ -se 7
décimo (10.º) **7**
décimo primeiro (11.º) **7**
décimo segundo (12.º) **7**
dedicar-se (a) 17
o dedo **13**
deitado 18
deitar-se 6
deixar 20
dele(s), dela(s) **4**
delicioso 18
o dente **13**
dentro (~ de) **4**, 10, 20
depois (~ de) 8
depositar **12**
o depósito **12**

depressa **8**
descansar 15
descer 5
a desculpa 8
desculpe 2
desde (~ que) 13
desejar 6
desejoso 8
a desgraça 13
despachar-se 9
despir 7
o desporto 11
determinado 14
dever 7, **10**
dez **3**
dezanove **3**
dezasseis **3**
dezassete **3**
Dezembro **5**
dezoito **3**
o dia 1
o dicionário 3
diferente 5
difícil **8**
a dificuldade 11
digamos 7
o dinheiro 9, **12**
a direcção (em ~ a) 15
o director 1
a direita (à ~ ) **8**
direito **8**
dirigir-se (a) **7**
o disco 6
divertido 11
divertir 17
dividir 7
dizer **6, 14**
    ~ (de) 16
doce 11
o documento 12
a doença 16
doer **13**
doente 11
dois 2, **3, 7**
o dólar **12**
o domingo 5
a Dona (D.) 2
a dor 13
dorido 13
dormir **8**
a dose 5
o doutor (Dr.),
a doutora (Dra.) 2, 10
doze **3**
duas **3**
durante 10
duro 8
a dúvida 11
duzentos **7**

# E

e 1
o economista 1
o edifício 7
ele(s), ela(s) **1, 2, 14**
o elevador 13

| | |
|---|---|
| em | 2, **4, 6, 10** |
| embora | 18 |
| o embrulho | 7 |
| a ementa | 15 |
| o empregado | 3 |
| o emprego | 10 |
| a empresa | 3 |
| emprestado | 8 |
| encantado | 16 |
| encarnado | **4** |
| a encomenda | 20 |
| encontrar | 9 |
| ~ -se (com) | 14 |
| endiabrado | 11 |
| o enfermeiro | 1 |
| enfim | 8 |
| enganar-se (em) | 14 |
| o engano | **14** |
| o engenheiro | 1 |
| enorme | 19 |
| enquanto | 5 |
| entanto (no ~) | 7 |
| então | 4 |
| o entardecer (ao ~) | 18 |
| entrar | 8 |
| entre | **4** |
| entregar | 10 |
| enviar | 10 |
| o eléctrico | 10 |
| a época | 6 |
| a equipa | 11 |
| o erro | 9 |
| o escadote | 13 |
| o escalope | 13 |
| o escocês | 19 |
| a escolta | 2 |
| escolher | 15 |
| escrever | 5 |
| o escritor | 11 |
| o escritório | 3 |
| o escudo | **7** |
| escuro | 6 |
| a Espanha | 1 |
| espanhol | 1 |
| especialmente | 8 |
| o espectáculo | 11 |
| o espectador | 11 |
| a espera | 20 |
| esperar | 8 |
| ~ (por) | 20 |
| esquecer | 20 |
| ~ -se (de) | 6 |
| a esquerda (à ~) | **8** |
| esquerdo | **8** |
| esse(s), essa(s) | **3** |
| essencialmente | 14 |
| a estação | 6 |
| estacionar | 4 |
| o Estádio Nacional | 5 |
| o estado | 13 |
| os Estados Unidos da América (E.U.A.) | 1 |
| a estalagem | 15 |
| estar | **4, 10, 11** |
| ~ (a) | **5** |
| este(s), esta(s) | **3** |
| esticar | 19 |

| | |
|---|---|
| a estrada | 16 |
| o estrangeiro | 3 |
| estrear | 19 |
| a estreia | 14 |
| a Estrela | 10 |
| o estudante | 1 |
| estudar | **3** |
| o estudo | 17 |
| eu | **1** |
| a Europa | 7 |
| o exagero | 13 |
| o exame | 6 |
| o exemplo (por ~) | 7 |
| exercer | 17 |
| o exercício | 5 |
| o êxito | 17 |
| experimentar | 7 |
| a exposição | 11 |

**F**
| | |
|---|---|
| a fábrica | 10 |
| fácil | **8** |
| a facilidade (com ~) | 5 |
| a factura | 10 |
| a Faculdade | 11 |
| falar | **3, 9** |
| ~ (com) | 12 |
| ~ (de) | 7 |
| ~ (sobre) | 15 |
| faltar | 8 |
| a família | 2 |
| famoso | 8 |
| Faro | 2 |
| a farmácia | 4 |
| farto | 8 |
| a fatia | 9 |
| o fato de banho | 15 |
| o favor | 6, 9 |
| fazer | **6, 15** |
| a febra | 5 |
| fechar | 6 |
| feio | 15 |
| a Feira Internacional de Lisboa (FIL) | 11 |
| feliz | 20 |
| o feriado | 6 |
| as férias | 6 |
| a festa | 6 |
| festejar | 6 |
| festivo | 6 |
| Fevereiro | **5** |
| o fiambre | 5 |
| ficar | 4, 6, **12**, 15 |
| a figura | 14 |
| o filete | 5 |
| o filho | 3 |
| o filme | 5 |
| o fim | 7, **8** |
| ~ -de-semana | **5** |
| a final | 11 |
| a firma | 20 |
| a flor | 18 |
| a folha | 4 |
| a fome | 5 |
| fora (~ de) | 5, 18 |
| a força | 19 |
| o forno | 5 |

| | |
|---|---|
| forte | 7 |
| fraco | 11 |
| a França | 1 |
| francês | 1 |
| o franco | **12** |
| a frase | 10 |
| o freguês | 9 |
| a frente (em ~; em ~ de) | **4, 8** |
| fresco | 7 |
| o frigorífico | 5 |
| frio | 5, **11** |
| o ~ | 9 |
| frito | 5 |
| a fruta | 9 |
| fumar | 3 |
| a Fundação Gulbenkian | 8 |
| o fundo (ao ~) | 7 |
| o futebol | 3 |

**G**
| | |
|---|---|
| o gabinete | 7 |
| o galão | 6 |
| a ganga | 7 |
| o garoto | 6 |
| o gás | 5 |
| gastar | 12 |
| a geleira | 18 |
| o género | 7 |
| a gente | 9 |
| geral | 10 |
| o Gerês | 20 |
| o gesso | 13 |
| a ginástica | 13 |
| giro | 15 |
| gordo | 7, **8** |
| gostar (de) | 3 |
| o gosto | 2 |
| a graduação | 11 |
| graduado | 11 |
| gráfico | 17 |
| a gramática | 10 |
| grande | 4, **8**, 11 |
| a Grécia | 11 |
| grelhado | 5 |
| a gripe | 11 |
| o grito | 7 |
| o grupo | 19 |
| guardar | 10 |
| guiar | 16 |
| o Guincho | 8 |

**H**
| | |
|---|---|
| haver | **5, 17** |
| ~ de | **16** |
| hem! | 13 |
| a história | 8 |
| hoje | 4 |
| a Holanda | 1 |
| holandês | 1 |
| a hora | **6** |
| hospedado | 15 |
| o hospital | 2 |
| a hospitalidade | 20 |
| o hotel | 10 |
| hum! | 5 |
| humano | 13 |

**I**
| | |
|---|---|
| a idade | 3 |
| a ideia | 11,15 |
| a igreja | 11 |
| a ilha | 15 |
| ~ do Lombo | 15 |
| imaginar | 12 |
| imediatamente | 20 |
| imenso | 8 |
| importante | 17 |
| importar-se (de) | 7 |
| a impressão | 7 |
| o impresso | **12** |
| incluído | 10 |
| indiano | 14 |
| individual | 10 |
| infelizmente | 11 |
| a informação | 8 |
| a Inglaterra | 1 |
| inglês | 1 |
| o Instituto | 11 |
| as instruções | 9 |
| inteiro | 9 |
| interessante | 11 |
| interessar-se (por) | 7 |
| o interesse | 7 |
| o intérprete | 1 |
| inventar | 11 |
| o Inverno | **6** |
| ir | **8, 10, 11** |
| o irmão | 2 |
| isso | **3** |
| (por ~) | 8 |
| isto | **3** |
| a Itália | 1 |
| italiano | 1 |

**J**
| | |
|---|---|
| já | 3, **9** |
| Janeiro | **5** |
| a janela | 4 |
| jantar | 6 |
| o ~ | 5 |
| o Japão | 1 |
| japonês | 1 |
| o jardim | 6 |
| o joelho | **13** |
| o jogador | 5 |
| jogar | 3 |
| o jogo | 6 |
| o jornal | 3 |
| o jovem | 7 |
| Julho | **5** |
| Junho | **5** |
| junto (~ a) | 5, 9 |
| justificar | 10 |

**L**
| | |
|---|---|
| lá | 3, 14 |
| o lábio | **13** |
| o lado (ao ~, ao ~ de) | **4, 8** |
| lanchar | 6 |
| o lanche | 5 |
| a lanterna | 19 |
| o lápis | 3 |
| a laranja | 5 |
| a laranjada | 5 |

largo 4
  o ~ 8
lavar 8
  ~ -se 6
Lda. (Limitada) 10
a legenda 7
os legumes 9
o leite 5
a lembrança 20
lembrar-se (de) 6
ler 7, 13
levantar 7, 12
  ~ -se 6
levar 4
leve 8
lhe, lhes 7, 17
a libra 12
a lição 9
a licença 14
ligar 6
  ~ (para) 14
limpar 13
limpinho 15
lindo 13
a língua 1
o linguado 5
a linguagem 14
Lisboa 2
lisboeta 17
a lista 9
a livraria 12
livre 12
o livro 3
lo(s), la(s) 19
o local 8
logo 8, 10
a loja 6
longe (ao ~) 7, 11
louro 7
o lugar 15

**M**
a maçã 9
a mãe 2
magro 7
Maio 5
maior 5, 8, 11
mais 3, 11
  ~ ... do que 8
mal 8, 13
a mala 8
mandar 10, 12
a maneira (~ como) 20
a manhã (de ~) 5, 6
a manhãzinha (de ~) 5
a manteiga 5
a mão 13
a máquina fotográfica 4
o mar 18
a maravilha 9
maravilhoso 15
marcar 10, 13
o marco 12
Março 5
o marido 2
o marisco 5
o martelo 19

mas 1
matar 19
a Matemática 3
mau 8, 11
me 1, 6, 7, 14
o médico 1
médio 7
a meia 7
  ~ -noite 6
meio 5
  o ~ 15, 17
  ~ -dia 6
melhor 8, 11
melhorar 19
o menino 9
menos 5, 11
  ~ ... do que 11
a mensalidade 12
a mercearia 9
o mergulho 18
o mês 5
a mesa 3
mesmo 8
  ~ assim 11
a metade 12
o metro (m) 11
  ~ quadrado (m$^2$) 11
o metropolitano (metro) 10
meu(s), minha(s) 2, 4
mexer 13
mil 7
o milhão 7
mim 20
mineral 5
o minuto 6
misto 6
o miúdo 8
Moçambique 13
a mochila 19
a moda 7
o modelo 7
moderno 7
a moeda 12
molhado 18
o molho 9
o momento 5
montar 19
a morada 12
o morango 6
morar 3
moreno 7
morrer 17
mostrar 7
a mota 6
mudar-se (para) 13
muito(s), muita(s) 3, 9, 11
a mulher 7
o museu 11, 17
  ~ Rafael Bordalo Pinheiro 17
a música 8

**N**
nacional 6
a nacionalidade 1
nada 7, 9
nadar 18

não 1
  ~ só... mas também 14
o nariz 13
nascer 13
o Natal 6
necessário 14
a necessidade 16
os negócios (de ~; em ~) 11
nem 14
nenhum(ns), nenhuma(s) 7, 9
o neto 15
a neve 4
ninguém 9
no(s), na(s) 19
a nódoa negra 13
a noite (à ~; da ~) 2, 6
o nome 2
nono (9.º) 7
normalmente 5
o Norte 12
nos 6, 17
nós 2
nosso(s), nossa(s) 4
a nota 12
a notícia 13
o noticiário 8
nove 3
novecentos 7
Novembro 5
noventa 5
novo 6
o número (n.º) 10, 14
o numerário 12
nunca 6

**O**
o(s), a(s) 1, 2, 12, 14, 17
Ó... 4
O.K. 14
a obra 17
obrigado 2
observar 13
os óculos 14
ocupado 10
ocupar 15
oitavo (8.º) 7
oitenta 5
oito 3
oitocentos 7
Olá! 2
olhar 8
o olho 13
onde (de ~) 2, 3, 6
ontem 11
onze 3
a opinião 11
a oportunidade 19
óptimo 6, 8
ora 4
a ordem 12
a orelha 13
o ortopedista 13
ou 1
o Outono 4
outro(s), outra(s) 8, 9

o ouvido 13
ouvir 8
o ovo 5
Outubro 5

**P**
o pacote 9
a padaria 9
pagar 6, 12
a página 9
o pai 2
o país 1
a paisagem 8
o Palácio de Cristal 11
o pão 5
par (a ~ de) 14
para 3, 6, 10, 16
os parabéns 6
a paragem 6
parecer 7
a parede 4
Paris 8
o parque 5
  ~ de campismo 19
  ~ Mayer 14
a parte 6, 14
particularmente 20
partir 7, 13, 19
  (a ~ de) 17
a Páscoa 6
passado 11
o passaporte 12
passar 6, 12, 15, 16
passear (ir ~) 13
o passeio 8
a pasta 3
o pastel de nata 6
a pastelaria 8
o pé 13
  (a ~) 5
  (ao ~ de) 17
  (de ~) 6
pedagógico 17
pedir 8
a pedra 8
o peito 13
o peixe 5
a peixeira 9
a pena 15, 20
pensar (em) 18
pequeno 4, 8
  o ~ -almoço 5
a pera 9
perceber 7
perder 6
  ~ -se 8
perdido 8
a pergunta 7
perguntar 8
perigoso 15
a perna 13
perto (~ de) 18
pesado 8
pesar 9
a pescada 9
o pescoço 13
péssimo 8

a pessoa 9
a piada 14
a pilha 19
o piloto 2
pior **8, 11**
a piscina 15
o plano 8
plástico 17
poder **6, 20**
podia 8
pois 2, 14
o polícia 8
político 14
a ponte 16
o ponto (em ~) **6**
pontual 6
por **8, 16**
pôr **9, 19**
o porco 5
porque 3
porquê 6
a porta 6
portanto 8
o Porto 3
Portugal 1
português 1
possível 10
a posta 9
o postal 13
pouco(s), pouca(s) 4, **9**
o povo 17
a praça 8, 9
  ~ de Londres 8
  ~ do Saldanha 8
  ~ de Touros 8
a praia 11
praticamente 15
praticar 11
prático 7
o prazer 2, 16
o prazo **12**
precisar (de) 9, **10**
preciso (ser ~) 9, **10**
o preço 7
o prédio 7
preencher **12**
a preferência (de ~) 10
preferido 11
preferir **7**
preferível 11
a prenda 6
preparar 5
o presente 6
preso 19
o presunto 5
pretender 10
preto **4**
previsto 20
a Primavera 6
primeiro (1.º) **7**, 8
primo 2
principal 10
principalmente 11
o problema 11
o processo 10
o professor 1

a profissão 1
o programa 8
prolongado 15
pronto (~ !) 5, 9
o próprio **14**
a prova 7
provar 14
próximo 6
o público 17
a pulseira 18
o puré 5
puxar 19

**Q**

o quadrado (aos ~ s) 7
o quadro 3
qual, quais 1, 5
quando 7
a quantia 12
quanto(s) 2, 7
quarenta **5**
quarta-feira **5**
o quarto 4
  ~ (4.º) **7**
  ~ de hora **6**
quase **6**
quatro **3**
quatrocentos **7**
que (de ~; o ~) 3, 4, 7
quê (o ~) 6
a queijadinha 8
o queijo 5
queimado 18
o queixo **13**
quem (a ~; de ~) 2, 4, 7
quente 8
o queque 6
quer (~ ... ~) 11
querer **6, 15**
queria 6
querido 15
o quilo(grama) Kg 9
quinhentos **7**
quinta-feira **5**
quinto (5.º) **7**
quinze **3**

**R**

o ramo 20
a rapariga 20
o rapaz 20
a raqueta 4
raramente 7
a razão 4
realmente 7
o recado **14**
receber 12
o recepcionista 1
recordar 20
a refeição 7
o refresco 18
a região 20
regressar 10
o regresso 11
a régua 3
o relatório 16

a relva 6
a representação 15
representar 17
requisitar **12**
a reserva 10
resolver 6, 17
responder 17
o restaurante 5
o resto 9
retribuir 20
a reunião 10
reunir 17
  ~ -se 9
rever 20
a revista 3
  ~ à portuguesa 14
rigoroso 11
o rio 15
  ~ Zêzere 15
o Rio de Janeiro 2
rir-se 14
a risca (às ~ s) 7
o rissol 6
o ritmo 11
a rocha 18
rodeado (por) 15
o romance 8
a roupa 7
a rua **8**
russo 1

**S**

o sábado **5**
saber 6
  ~ (de) 17
o saco 9
  ~ -cama 19
a saia 7
a saída 14
sair **8, 13**
a sala 4
  ~ de aula 4
  ~ de estar 4
  ~ de embarque 20
a salada 5
o saldo **12**
a sandes 5
o sangue 4
o sapato 7
a sátira 14
as saudades 19
se 1, **6**, 7, **15**
a secção 7
a secretária 1, 19
o século 17
a sede 9
seguida (em ~) 9
seguinte 10
seguir 7, 16
a segunda-feira **5**
segundo (2.º) **7**
seis **3**
seiscentos **7**
o selo 7
sem 5
a semana 5

sempre (~ que) 5, 11
o senhor (Sr),
a senhora (Sra.) **2**
sentado 5
sentar-se 6
sentir-se 13
ser **1, 2, 10, 11**
  ~ (de), ~ (em) 2
sério (a ~) 17
a serra 15
o serviço 7
servir-se (de) 7
sessenta **5**
sete **3**
Setembro **5**
setenta **5**
sétimo (7.º) **7**
seu(s), sua(s) **4**
a sexta-feira **5**
sexto (6.º) **7**
si **20**
sim 1
o símbolo 17
simpático 11
simples 7
Sintra 8
o sítio 8
a situação 8
só 4
sobre 16
social 14
a sociedade 17
o sol 4
a sombra 18
o sono 13
sozinho 9
suave 8
subir 15
a Suécia 1
sueco 1
a Suíça 1
suíço 1
sujo 15
o sumo 5
o supermercado 4

**T**

a taça 11
a Tailândia 14
tal 11
o talão 7, **12**
o talho 9
o tamanho 7
também 1
tanto(s), tanta(s) **13**
tão **13**
  ~ ... como **11**
a TAP (Transportes Aéreos
  Portugueses) 2
tarde **8**
a ~ (à ~; da ~) 1, 5, **6**
a tardinha (à ~) 5
o táxi 10
te **6, 7, 14**
o teatro 14

| Termo | Pág. | Termo | Pág. | Termo | Pág. | Termo | Pág. |
|---|---|---|---|---|---|---|---|
| telefonar (a) | 12 | o tomate | 5 | a Universidade | 3 | a vida | 11 |
| ~ (para) | 10 | a torrada | 5 | uns | 6 | o vídeo | 9 |
| o telefone | 14 | o tostão | **7** | útil | 12 | o vidro | 7 |
| a televisão | 5 | o total | 7 | utilizar | 16 | vigésimo (20.º) | **7** |
| a temperatura | 11 | trabalhar | 3 | a uva | 11 | a vila | 8 |
| o tempo | 6 | o trabalho | 9 | **V** | | Vila Franca de Xira | 16 |
| tencionar | 16 | o tradutor | 1 | o vale | **12** | o vinho | 5 |
| a tenda | 19 | o transeunte | 8 | valer | 20 | vinte | **3, 5** |
| o ténis | 3 | o transporte | 17 | os valores | **12** | vir | **8, 16** |
| os ~ | 7 | tratar (de) | 10, 20 | variado | 17 | virar | **8** |
| tenro | 8 | trazer | **6, 14** | vários | 12 | a visita | 17 |
| tentar | 10 | o treino | 5 | velho | 6 | visitar | 8 |
| ter | **3, 11** | três | 2, 3 | o vendedor | 9 | a vitela | 5 |
| ~ (de) | 6, **10** | treze | **3** | o vento | 19 | viver | 5 |
| a terça-feira | **5** | trezentos | **7** | ver | **7, 13** | você(s) | 1, 2 **14** |
| terceiro (3.º) | **7** | trinta | **5** | o Verão | 4 | a volta | 8 |
| a testa | **13** | triste | **8** | a verdade | 14 | (por ~ de) | 10 |
| o teste | 11 | trocar | **12** | verde | **4** | voltar | 10 |
| teu(s), tua(s) | **4** | o troco | 9 | verificar | 10 | a vontade | 7 |
| o texto | 8 | tu | **2** | vermelho | **4** | o voo | 10 |
| ti | **20** | tudo | 8, 9 | o vespertino | 7 | vos | **17** |
| o tio | 2 | a turma | 11 | vestido | 7 | vosso(s), vossa(s) | **4** |
| o tipo | 14 | **U** | | o ~ | 7 | **Z** | |
| tirar | 13 | ufa! | 8 | vestir | 7 | zás! | 13 |
| a toalha | 18 | último (por ~) | 7, 12 | ~ -se | 7 | o Zé Povinho | 17 |
| todo(s), toda(s) | 8, **9** | um, uma | **3** | a vez (às ~ es) | 7, 8 | a zona | 20 |
| o tom | 7 | a União Soviética | | viajar | 10 | | |
| tomar | 5, **12**, 20 | (U.R.S.S.) | 1 | a viagem | 10 | | |
| Tomar | 15 | | | | | | |

# EXPRESSÕES

**A**

A como é o quilo...? 9
a maior parte (de) 19
a pé 8
À vontade 7
Adeus 3
Ainda bem! 14
apanhar sol 18
arranjar bilhetes 20
as férias grandes 6
Até amanhã 3
Até que enfim! 8

**B**

Bem, obrigado 2
Bem-vindo a... (a) 2
Bom. 3
Bom dia 1
Boa ideia 15
Boa noite 2
Boa tarde 1

**C**

cair uma carga de água 19
cinco dias úteis 12
Claro! 3
claro está 20
Coitado! 8
Coitado de ...! 13
Com certeza 7
Com licença! 14
com os cumprimentos (de) 20
Como { está? 2 / estão? 2 / estás? 2 }
conta { à ordem 12 / a prazo 12 }
correr bem 16
Custou tanto a passar 13
Cuidado! 8

**D**

da parte (de) 14
de hora a hora 15
de nada 17
de tudo um pouco 15
dar { atenção 10 / aulas 9 / erros 9 / mergulhos 18 / uma festa 9 / uma volta (por) 8 }
Deixa cá ver 12
Deixa lá! 14
deixar recado 14
Desculpe 2
digamos 7
dizer que sim 20
dormir como uma pedra 8

**E**

É engano 14
É melhor 7
É o próprio 14
é que 1
É verdade! 14
em companhia (de) 20
em ponto 6
Embora! 18
Está bem 7
Está cá um calor! 18
Está (lá)? 14

estar { a par (de) 14 / a pé 5 / à espera 20 / cheio de fome 5 / cheio de sede 9 / com { dores 13 / gripe 11 / sono 13 } / de pé 6 / de volta 16 / deitado 18 / desejoso (de) 8 / farto (de) 8 / perdido 8 / preso 19 / pronto 5 / sentado 5 / vestido 7 }
Estou (sim)? 14
exercer acção (sobre) 17

**F**

fazer { amigos 20 / anos 6 / arrumações 13 / bem (em) 15 / calor 18 / carreira 15 / compras 8 / a conta 9 / favor (de) 9 / férias 7 / ginástica 13 / uma pergunta 7 }
fechar à chave 19
ficar { admirado 20 / amigo (de) 20 / com dores (de) 13 / contente (por) 13 / de cama 11 / encantado (com) 16 }

**I**

ir { buscar 10 / em direcção a 15 / de férias 11 / em negócios 11 / em trabalho 11 / passear 13 / ter (a) 14 }
ir-se embora 19
Isso é que é preciso! 13

**L**

logo à tarde 8

**M**

mais ou menos 19
marcar uma consulta 13
mas é 8
matar saudades (de) 19
montar a tenda 19
Muito bem, obrigado 2
Muito gosto 2
Muito obrigado 6
Muito prazer 2
Muitos parabéns 6

**N**

nada de exageros...! 13
Não faz mal 8
não senhor 11

Não tem de quê 12
nem nada 15

**O**

o ano que vem 20
o último grito 7
Olha (o Steve)! 8
Olhe,... 8
Óptimo! 8
Os meus parabéns 6

**P**

pagar em { cheque 12 / dinheiro 12 }
Parabéns 6
passar { um cheque 12 / férias 6 / a noite 15 }
pedir { desculpa 8 / emprestado 8 }
Podia 8
por favor 6
pôr a mesa 9

**Q**

Que desejam? 6
Que pena! 15
Que tal? 11
Queria 6

**S**

Se calhar 4
se faz favor 6
Sei lá! 7
ser { necessário 14 / possível 10 / preciso 9, 10 / preferível 11 / tarde 6 }
Sim, sem dúvida 11
sim, senhor 11

**T**

ter { anos 3 / azar 13 / uma consulta 13 / dificuldade (em) 11 / dores 13 / êxito 17 / fome 5 / frio 9 / idade 3 / oportunidade (de) 19 / problemas (em) 11 / razão 4 / saudades (de) 20 }
tirar { um curso 11 / ideias 11 }
Toma, (Steve) 20
tomar { banho 15 / um comprimido 13 }
trocar impressões 7

**U**

Um beijinho (de) 15
Um bocadinho 3
um bocado 16

**V**

Vá lá 9
valer a pena 20
Vamos? 3
Vamos embora 6
vir a calhar 8